P9-CQW-150

Lena Gorelik

Verliebt in Sankt Petersburg

Lena Gorelik

Verliebt in Sankt Petersburg

Meine russische Reise

SchirmerGraf Verlag
München

Die Autorin dankt der Robert-Bosch-Stiftung und dem Literarischen Colloquium Berlin für das Recherche-Stipendium »Grenzgänger«, das ihr diese Russlandreise ermöglichte.

Von Lena Gorelik liegt bei SchirmerGraf vor:
Meine weißen Nächte (Roman, 2004)
Hochzeit in Jerusalem (Roman, 2007)

ISBN 978-3-86555-054-5

Umschlaggestaltung unter Verwendung der
Fotografie *Junge Russischstudentin* (1991, Ausschnitt)
von Jean-Erick Pasquier
Gesetzt aus der Berthold Calson
Satz: Uwe Steffen, München
Druck und Bindung: CPI – Ebner & Spiegel, Ulm
Printed in Germany

www.schirmer-graf.de

Weihnachten 2008

Für Sandra,

In Erinnerung an 10 unvergessliche Russland-monate.

Für Jost,
in Erinnerung an eine unvergessliche Reise.

И моим любимым Питерцам.

Mit dem Verstand ist Russland nicht zu
begreifen.
Es ist nicht mit einer Elle zu messen.
Es hat etwas ganz Eigenes.
An Russland muss man einfach glauben.

FJODOR TJUTSCHEW, 1803–1873

Inhalt

Auf die Plätze, fertig, Visum, los!

Alle wollen sie hin. Sie sagen: »Toll, Petersburg!« und: »Zeigst du uns das mal?« Klar. Wenn's weiter nichts ist. Jederzeit. Paris, Amsterdam, London kennen wir ja schon. Und den Urlaub verbringen wir lieber in Thailand oder Brasilien mit einem Rucksack auf dem Rücken. Dank unserer *Lonely-Planet*-Bibel landen wir vor Ort auch nie in touristischen Restaurants, sondern vielmehr in den angesagten Locations, wo wir andere *Lonely-Planet*-Leser aus allen möglichen Ländern treffen, nur nicht aus dem, das wir gerade bereisen. Zu Hause sagen wir dann: »Wir haben so viele interessante Leute getroffen. Die Reise war so … echt!«

Paris, davon haben unsere Eltern geschwärmt. Sankt Petersburg ist zwar nicht so cool wie Südamerika und zur Selbstfindung nicht so geeignet wie Asien, steht aber um einiges höher im Kurs als Paris. Sankt Petersburg ist immerhin Russland, und Russland ist Sibirien, und da fährt man nicht mal eben so übers Wochenende hin. Weshalb sie alle sagen: »Toll, Petersburg!« und: »Zeigst du uns das mal?« Als wäre ich hauptberuflich Reiseleiterin. Als würde ich selbst ständig hinfliegen (wo ich doch so ungern dieses zweifelhafte Ding besteige, das jeden Moment vom Himmel herunterkrachen kann). Als würde ich selbst nicht auch viel lieber Thailand und Brasilien bereisen mit dem *Lonely Planet* in der Hand und einem Rucksack auf dem Rücken.

Nein, nach Sankt Petersburg fahre ich nur mit ganz besonderen Freunden. Mit Jost zum Beispiel. Jost ist mein bester Freund, der den Vortest bestanden, das russische Essen meiner Mutter genossen und bei meinem Vater einen positiven bleibenden Eindruck hinterlassen hat. Jost, der beste Freund, der seit Jahren meine Jammereien, Launen und Selbstmitleidsphasen aushält, wie es nur russlandreife beste Freunde vermögen.

Zu Jost sage ich sogar: »Jost, ich würde dir gerne Petersburg zeigen, weil ich doch dort aufgewachsen bin.«

Und Jost sagt: »Klar, jederzeit!«

Jederzeit ist der kommende Sommer. Die Tickets sind gebucht. Um sein erstes echt russisches

Erlebnis habe ich Jost bereits gebracht: Ich steige in keine russische Maschine. Wenn die Tupolew wackelt, quietscht und zittert, obwohl sie die Startbahn noch gar nicht verlassen hat, ist das keine authentische Erfahrung, sondern einfach nur zutiefst beunruhigend. Als echte Russin fliege ich nur mit deutschen Maschinen.

»In Venezuela bin ich doch auch mal mit einer …«, beginnt Jost, aber ich schüttele nur den Kopf. No way.

Meinen Verwandten schreibe ich, dass ich demnächst nach Petersburg komme zusammen mit einem Freund, dem ich gerne die Stadt zeigen möchte. Meine Verwandten schreiben zurück, sie freuten sich sehr auf uns.

Dann rufen sie hysterisch bei meinen Eltern an, um in Erfahrung zu bringen, wer denn bitte dieser Typ ist, den Lena nach Petersburg mitbringt.

»Ihr bester Freund!«, erklärt meine Mutter.

»Hat sie sich von Peter getrennt?«, will die besorgte Verwandtschaft wissen; natürlich durfte Peter als Erster mit mir nach Petersburg fahren, die Verwandtschaft liebt ihn seither weitaus inniger und unkritischer als mich.

»Nein, Peter hat keinen Urlaub mehr«, erklärt meine Mutter geduldig. Danke, Mama, dass du das übernimmst.

»Aber warum kommt sie dann mit diesem Nicht-Peter nach Petersburg?«, fragt meine Tante. Bestimmt hängen sie dort mindestens zu viert am Hörer.

»Er ist ihr bester Freund. Sie will ihm die Stadt zeigen«, erklärt meine von mir gut geschulte Mutter.

»Ja, aber warum verreist sie mit ihm? Was ist mit Peter?«

»Mit Peter ist alles in Ordnung.« Und so weiter.

Irgendwie schafft meine Mutter es dann doch, ihnen zu verklickern, dass ich

a) keine Affäre mit »diesem Nicht-Peter« habe,

b) es nichts zu bedeuten hat, dass ich mit »diesem Nicht-Peter« verreise, außer, dass wir gerne zusammen Petersburg sehen möchten,

c) Peter nach wie vor ein Teil meines Lebens ist (und wir trotzdem nicht demnächst heiraten),

d) Peter todtraurig ist, dass er nicht mitkommen kann, und

e) ich wirklich und ganz bestimmt und zweifellos keine Affäre mit »diesem Nicht-Peter« habe.

Meine Cousine e-mailt mir: »Dass du über die Probleme mit Peter nicht mit deiner Mutter sprechen willst, verstehe ich; ich bin aber jederzeit für dich da. Natürlich lernen wir auch gerne deinen Nicht-Peter kennen, aber denk daran, jede Ehe hat auch ihre problematischen Phasen, und ein neuer Mann …«

Als ich Jost davon erzähle, schlägt er, klug, wie er ist, vor, wir zwei könnten ja eine Affäre vortäuschen, einfach um eine für meine Verwandtschaft mental nachvollziehbare Situation zu schaffen. Damit ich dann, wenn ich in zehn Jahren samt Peter und vier süßen Kindern nach Petersburg komme, gefragt werde, ob es den Nicht-Peter noch gibt. (Ein kurzer mitleidsvoller Blick zu Peter, ein Haartätscheln bei einem der Kinder. Ein verständnisloses Kopfschütteln zu mir.)

Der Nicht-Peter hat inzwischen Probleme ganz anderer Art. Der Nicht-Peter namens Jost braucht ein Einreisevisum nach Russland. Als stolze Inhaberin des Doppelpasses, den es in unserem angeblichen Nichteinwanderungsland eigentlich gar nicht gibt, muss ich mich nur darum kümmern, dass ich im richtigen Land die jeweils richtigen Papiere zeige; das mit dem Visum für meinen nurdeutschen Reisebegleiter hatte ich leider versiebt.

»Wir gehen einfach aufs russische Konsulat. Das kriegen die in zwei Wochen schon hin!«, sagt Jost.

Ich schüttele den Kopf. Auf keinen Fall gehe ich aufs russische Konsulat. Als seltene Inhaberin des Doppelpasses wollte ich den russischen vor ein paar Jahren unbedingt loswerden. Es ist nämlich so: Bei der Einbürgerung nach Deutschland musste ich ein wichtig aussehendes und mit dem Bundesadler ausgestattetes Dokument unterschreiben, das besagt, dass ich in jedem Land dieser Welt Deutsche bin außer in Russland. Wenn mich also die russische Mafia auf russischem Boden kidnappt, würde der deutsche Staat kein Lösegeld für mich zahlen. Dem deutschen Staat würde es egal sein, wenn ich in einer Höhle im tiefsten Ural, die deutsche Nationalhymne summend, verhungerte.

Das gefiel mir nicht. Wenn es einen Staat auf dieser Welt gibt, in dem ich gerne Deutsche wäre, dann ist es Russland. Vorsichtshalber, man weiß ja nie. Weshalb ich seinerzeit zum russischen Konsulat marschierte, den russischen Pass in der Hand, bereit, mich für immer von ihm zu verabschieden.

Vor dem russischen Konsulat hatte sich eine Schlange gebildet, wie ich sie seit Sowjetzeiten nur noch in Albträumen gesehen hatte. Mutig wollte ich mich hinten anstellen. Aber es gab kein Hinten. Es gab nur ein Durcheinander von Menschen, die mit Dokumenten um sich wedelten und Informationen über Aufenthaltsgenehmigungen, Heiratsurkunden und Rentenansprüche austauschten.

»Wer ist der Letzte?«, fragte ich; eine Frage, die im Russischen zum Alltagsvokabular gehört und sich für mich auf Deutsch sonderbar anhören würde. Weil in Deutschland das Schlangenende eigentlich immer als solches zu erkennen ist. Wenn es überhaupt Schlangen gibt.

Keiner antwortete, zumindest mir nicht; sie waren viel zu sehr in mehrere Unterhaltungen über das neue russische Anmeldegesetz vertieft.

»Wer ist der Letzte?«, fragte ich noch einmal, etwas lauter diesmal, aber nicht laut genug.

Keiner antwortete mir.

Also stellte ich mich zu den Russischlehrern deutscher Gymnasien dazu. Die waren an ihren grauen Bärten, den verwunderten, aber soziologisch-und-völkerkundlich-interessierten Blicken sowie den ordentlichen Mappen leicht zu erkennen.

Die Russischlehrer und ich, wir kamen als Letzte ins Konsulat. Kurz vor Dienstschluss um zwölf. In der Schlange angestellt hatte ich mich gegen neun. Der große, schlaksige Mann im grauschieferfarben schillernden Seidenhemd, wie es Zuhälter im *Tatort* tragen, der gegen zehn gekommen war, war schon seit halb elf im Konsulat und kam eine Viertelstunde später heraus. Die Russischlehrer und ich, wir standen immer noch hinten an. Warum, wussten wir nicht so genau.

Im Eingangsbereich hing zum Glück ein großes Informationsschild, denn ich wusste nicht, wer für mein Anliegen zuständig war. Während ich mir überlegte, wie ich meine Frage am besten formulierte (»Wie werde ich meine russische Staatsbürgerschaft los?« schien irgendwie unpassend), sah ich ein weiteres, kleineres Schild unter »Information«. Es besagte: »Die Information gibt keine Auskünfte.« Hinter dem Glas hatte sich ein glatzköpfiger Mann in die Zeitung vertieft.

Die Russischlehrer, die Glücklichen, stellten sich an dem Schalter an, der mit »Visaangelegenheiten« überschrieben war. Die anderen Schalter trugen nur Nummern. Vor jeder Nummer stand eine Schlange. Ich stellte mich bei der Nummer Drei an, aus der einfachen Überlegung heraus, dass in Märchen (vor allem in russischen) die Drei eine Glückszahl ist.

Umständlich erklärte ich mein Anliegen, ohne den russischen Staat und seine mürrisch bis gelangweilt dreinblickende Vertreterin vor mir verletzen zu wollen.

»Damit beschäftige ich mich nicht«, sagte die mürrisch-gelangweilte Beamtin und betrachtete ihre Fingernägel. In meiner Vorstellung waren sie lang und knallrot bemalt, aber so weit konnte ich nicht hinters Fenster blicken.

»Wer ist denn zuständig für dieses Anliegen?«, wollte ich wissen.

»Nummer Eins!«, antwortete Frau Beamtin.

Nummer Eins hatte ich vor ein paar Minuten dabei beobachten dürfen, wie sie ihre Tasche packte und ein »Geschlossen«-Schild vors Fenster hängte. Es war inzwischen 12.47 Uhr.

Am nächsten Morgen kam ich um acht. Die formlose Schlange war auch schon wach und stand bereits wieder vor dem Konsulat. Einen der Wartenden meinte ich als einen der Russischlehrer von gestern zu erkennen. Diesmal stellte ich mich nicht zu ihm, sondern mitten zu den Russen. Ganz mutig und selbstverständlich. Geübt, wie ich war, betrat ich diesmal um 11.26 Uhr das Gebäude. Wie eine Kennerin ging ich zu Schalter Eins. Drängelte um mein Leben. War um 12.13 Uhr bereits dran. Erfuhr, dass ich im Fenster Zwei erst einmal den Antrag Nummer Eins holen musste. Wie viele Anträge es insgesamt geben würde, wollte mir keiner sagen. Fenster Zwei war das mit der längsten Schlange.

Den Antrag Nummer Eins musste ich ein zweites Mal ausfüllen. Erfuhr ich am nächsten Morgen, nachdem ich bereits um 11.34 Uhr (yes!) wieder am Fenster Eins dran war. Ich hatte mich einmal verschrieben. Verschreiben oder durchstreichen auf offiziellen Dokumenten ist verboten. Das ist natürlich verständlich. Ich stellte mich noch einmal in die Schlange zum Fenster Zwei an. Hinten. Wo auch immer das war.

»Die Ausbürgerungsprozedur dauert in etwa ein Jahr und kostet Sie eine Gebühr«, erfuhr ich am Fenster Eins, als ich den makellos ausgefüllten Antrag abgab. Bereitwillig, stolz und etwas müde zückte ich meinen Geldbeutel. Geschafft, geschafft, geschafft. Nie wieder russisches Konsulat.

»Die Gebühr beträgt 750 Euro«, fuhr die Beamtin fort.

Meinen russischen Pass habe ich immer noch. Sowie meine 750 Euro, die ich dann doch lieber anderweitig anlegen wollte. Aber »nie wieder russisches Konsulat« gilt weiterhin. Weshalb ich auch resolut den Kopf schüttele, als Jost sagt: »Wir gehen einfach aufs russische Konsulat. Das kriegen die in zwei Wochen schon hin.«

Stattdessen suche ich im Internet eine russische Agentur heraus, die sich darauf spezialisiert hat, reisefreudige Deutsche mit Visa auszustatten. Jederzeit. So schnell sie wollen. Je schneller, desto teurer. Aber ansonsten: kein Problem.

Dort schleppe ich Jost hin. Die dem Namen nach imposante Adresse entpuppt sich als ein riesiges Büro mit etwa zehn Mitarbeitern und ziemlich genau drei Tischen. Die anderen Mitarbeiter halten ihre Laptops auf dem Schoß. Eine Frau hat viele dicke Bücher, die ich als zwanzigbändiges russisches Lexikon erkenne, aufeinandergestapelt und benutzt sie als Schreibtisch. Mitten im Zimmer: eine Schreibtischablage mit deutschen Reisepässen. Alles also ganz vertrauenswürdig und seriös.

Jost und ich stehen mitten im Zimmer und werden ignoriert. Alle sind in ihre Arbeit vertieft.

»Ähm, ich bin hier wegen eines Visums«, beginnt Jost.

Ein anscheinend privilegierter Mann mit Schreibtisch schaut auf und winkt uns zu sich. »Kein Problem!«, sagt er freundlich. Er bietet uns Sitzplätze an, indem er mir seinen Stuhl zuschiebt und für Jost den seiner Kollegin vorübergehend klaut. Jetzt hat sie weder Stuhl noch Tisch. Es stört sie nicht weiter. Unser Berater setzt sich lässig auf die Tischkante.

»Was für ein Visum brauchen Sie?«, will er mit einer großzügigen Handbewegung wissen, als hätte er eine Theke mit Angeboten hinter sich.

»Ein Touristenvisum«, sagt Jost. »Geht das?«

»Kein Problem.«

»Wir fliegen aber bereits in zwei Wochen!«, sagt Jost.

»Kein Problem.«

»Wunderbar. Und wie funktioniert das?«

»Kein Problem. Sie geben Pass, wir besorgen Visum«, erklärt uns der freundliche, problemlose Mann.

Er nimmt Josts Pass und wirft ihn gezielt wie ein Basketballspieler auf die Pässeablage mitten im Raum. Kein Problem. Kostenfaktor: 40 Euro.

»Kein Problem. Wir rufen an, wenn Visum da ist«, heißt es, nachdem Jost bezahlt und seine Telefonnummer angegeben hat.

»Gibt es keine Quittung oder eine Bestätigung oder so etwas?«, fragt Jost und wirft seinem Reisepass einen sehnsüchtigen Blick hinterher.

»Nein. Kein Problem!«, sagt der Mann und begleitet uns netterweise zur Tür hinaus.

»Den sehe ich doch nie wieder«, mault Jost, als wir die imposante Adresse verlassen.

»Doch, ganz bestimmt«, antworte ich und klopfe ihm beruhigend auf die Schulter. »Kein Problem.«

Zwei Tage vor der Abreise rufe ich Jost an. »Nimm Datschaklamotten mit. Und besorg einen

Stadtplan, auf dem die Straßen sowohl in kyrillischen als auch in lateinischen Buchstaben eingezeichnet sind.«

»Ich hab doch meinen Reisepass noch nicht!«, beklagt sich Jost. Ich befürchte, er hasst Russland schon jetzt.

»Kein Problem«, antworte ich.

Am nächsten Tag blinkt sein Anrufbeantworter, als er von der Arbeit nach Hause kommt. Als er auf den Knopf drückt, quäkt ihm eine weibliche Stimme in gebrochenem Deutsch vorwurfsvoll entgegen: »Wir versuchen Sie seit Tagen zu erreichen. Bitte holen Sie Ihren Pass mit Visum ab.« Auf dem Heimweg von der imposanten Adresse besorgt Jost einen zweisprachigen Stadtplan. Zu Hause degradiert er seine Jack-Wolfskin-Wanderausrüstung zu Datschaklamotten.

Und am Morgen darauf sitzen wir in der deutschen Maschine, die wackelt, quietscht und zittert, obwohl sie die Startbahn noch gar nicht verlassen hat, und uns sicher nach Russland bringt. Auf die Plätze, fertig, los.

Leben in Russland: Von der dringenden Notwendigkeit eines bunten Teppichs an der Wand

Es gibt keinen Bus von Terminal 1 zu Terminal 2. Selbstverständlich sind beide Terminals auf demselben Gelände, wahrscheinlich höchstens einen Kilometer voneinander entfernt, aber es gibt weder einen Bus, der dazwischen fährt, noch einen Fußweg.

»Und wie kommen wir nun zu Terminal 2?«, frage ich die kaugummikauende Dame an einem Schalter im Terminal 1.

»Das, meine Liebe«, sagt sie und macht eine bedeutungsvolle Pause, »geht mich nun wirklich gar nichts an.«

Ich werfe Jost einen Hilfe suchenden Blick zu. »Frag sie, wo der Bus fährt«, flüstert der.

Warum sind wir überhaupt hier gelandet? Terminal 1 ist der nationale Flughafen, und meines Wissens nach ist Berlin, wo wir umgestiegen sind, noch kein russisches Staatsterritorium. Meine Verwandtschaft, die sich nicht darauf einigen konnte, wer uns abholt, und deshalb in ihrer ganzen Vielzahl da ist, steht jetzt in der Wartehalle des internationalen Terminals 2, versucht wahrscheinlich ohne Rücksicht auf finanzielle Verluste mein deutsches Handy anzurufen, das leider im unterwegs verlorenen Koffer liegt, und alarmiert meine Mutter in Deutschland. Na prima.

»Das, meine Liebe«, sagt die Dame am Schalter und verschiebt ihren Kaugummi von rechts nach links, »weiß ich nun wirklich nicht.«

Resigniert mache ich dem Mann hinter mir Platz. Viel Glück dann auch!

»Und, wo fährt der Bus?«, will Jost wissen.

Der Taxifahrer verlangt zwanzig Euro von uns dafür, dass er uns einen Kilometer zum anderen Terminal fährt. Eigentlich müsste ich mich geschmeichelt fühlen, hält er mich doch offensichtlich für eine Deutsche, aber für meine russische Seele ist es eine tiefe Beleidigung. Als Jost ansetzt: »Na gut, dann zahlen wir halt die zwanzig ...«, bringe ich ihn mit einem meiner Blicke zum Schweigen und schiebe ihn und seinen Koffer mit aller Kraft zwischen die Russen in den Stadtbus, der uns in einer zwanzigminütigen schlaglochwackeligen Fahrt zur nächsten Metrohaltestelle bringt, wo wir wiederum die Straße überqueren (in der übrigens früher einmal meine Großmutter gelebt hat und wo bis heute noch ein riesiger Lenin steht), um in den Stadtbus Richtung Terminal 2 einzusteigen, wo uns meine besorgte und glückliche Verwandtschaft empfängt.

»Seid ihr doch mit einer russischen Fluggesellschaft geflogen?«, fragt meine Cousine, nachdem wir unsere Verspätung erklärt haben, wobei das Fehlen einer Transportmöglichkeit von einem Terminal zum anderen keinen hier zu wundern scheint. Am Telefon und per E-Mail hatte sie mich für russische Flugzeuge zu begeistern versucht, weil es dort richtiges Essen gibt. Nicht nur so ein kleines Sandwich. Meine Cousine, die wie alle Fast-Neurussen erheblichen Wert darauf legt, dass ihr Auto, ihre Klamotten und ihre Lebensmittel erkennbar westlicher Provenienz sind, ist wie alle anderen Russen eine Verfechterin russischer Fluglinien, weil man doch auch im Flugzeug richtig essen muss: also mit Vorspeise, Suppe, Hauptgericht und Dessert.

Nach langen Diskussionen im Vorfeld hatte man sich dafür entschieden, dass Jost und ich in der Wohnung meines Onkels logieren werden, während er und meine Tante den Sommer wie immer auf der Datscha verbringen. Dort hat die Frau meines Cousins schon Berge von Essen zubereitet, weil man doch weiß, dass wir im Flugzeug nicht richtig gegessen haben.

Im Treppenhaus des grauen Plattenbaus stinkt es nach Hund, Katze und ähnlich Sympathischem. Am schlimmsten stinkt der Aufzug. Der wackelt außerdem verdächtig und ächzt, aber mein Onkel wohnt zum Glück im Erdgeschoss. Die Erleichterung darüber, nicht Aufzug fahren zu müssen, wird durch die Gitter, die an jedem Fenster wegen der hohen Einbruchgefahr angebracht sind, wieder zunichte gemacht. Die Fenster sind Doppelfenster, und in dem relativ breiten Zwischenraum bewahrt man im Winter Lebensmittel auf, er dient sozusagen als Extrakühlschrank.

Ohne meine Schuhe auszuziehen, renne ich ins Wohnzimmer und bin beruhigt. ER IST NOCH DA! Er sieht genauso aus, wie ich ihn in Erinnerung habe: groß und rot und mit undefinierbarem Muster in der Mitte. Er hängt auch genau da, wo er hingehört: an der Wand. Der obligatorische Wandteppich. Es gibt zwei Dinge, die mir in Russland auch nach sechzehn Jahren Deutschland ein

Gefühl von zu Hause vermitteln: der stickige Metrogeruch, wenn man die Rolltreppe hinunterfährt, und ein Wandteppich. Teppich hieß früher Luxus. Die Teppiche waren, obwohl sie häufig so genannt wurden, natürlich keine Gobelins. Aber in jedem Fall symbolisierten sie Wohlstand. Mein Onkel hat in jedem Zimmer der Wohnung einen Teppich hängen: Er war zu Sowjetzeiten ein erfolgreicher, angesehener Mann. Ähnliches sagt wohl auch die Nippessammlung im Vitrinenschrank im Wohnzimmer aus: Porzellanzwerge, -ballerinas, -tiere, -häuschen, ein unüberschaubares kleines Second life aus Porzellan.

Irgendwo dazwischen entdeckt Jost ein Schulfoto von mir, das meine Eltern wohl vor Jahren nach Russland geschickt haben. An dieser Stelle muss ich kurz mal heulen und alle Verwandten noch einmal umarmen. Vom heutigen Reichtum zeugt höchstens der Fernseher westlicher Marke, auf dem Jost und ich uns täglich begeistert die russischen Versionen von *Das perfekte Dinner* und diversen Gerichtssendungen zu Gemüte führen werden. Als wir staunend davor stehen, reicht uns die Frau meines Cousins stolz die Fernbedienung und erklärt uns: »Damit kann man den Fernseher bedienen, ohne aufstehen zu müssen, mit diesem großen roten Knopf geht er an …«

In der Sowjetunion lebte man in sogenannten Kommunalkas. Mehrere Familien wurden aufgrund mangelnden Wohnraums in Zwangswohngemeinschaften zusammengepfercht, bis zu fünf Familien mussten auf engstem Raum miteinander auskommen. Dies wurde aus ideologischen Gründen nach der Revolution von 1917 über die Wohnungen des Bürgertums beschlossen und hat sich als Wohnsystem jahrzehntelang erhalten. Ob diese Art des Zusammenwohnens zum sozialen Glücksgefühl oder zu Menschenhass führt, darüber streiten sich immer noch die Geister.

Vor allem in den Jugendstilbauten des Stadtzentrums gibt es noch einige Kommunalkas. Weshalb die Frage meiner Tante erst dann komisch klingt, als ich sie für Jost übersetzen möchte: »Und wie viele andere Parteien wohnen mit Peter und dir in eurer Wohnung?«

Was Jost betrifft, so wird folgende Tatsache unterstellt: »Und Jost wohnt ja bestimmt noch bei seinen Eltern?«

Das übersetze ich natürlich gerne, woraufhin Jost sich an seinem Hähnchen verschluckt.

»Bitte stell das richtig!«

»Es ist nur so, weil man hier erst von zu Hause auszieht, wenn man verheiratet ist, weil man sonst an keine Wohnung kommt und …«, beginne ich meine landeskundlichen Ausführungen.

»Sag ihnen, dass ich nicht bei meinen Eltern wohne! Seit Jahren nicht mehr! Wie heißt das auf Russisch? Ich sag's ihnen selbst!«, zischt Jost.

»Wie groß ist denn eure Wohnung?«, will man nun wieder von mir wissen.

Die Frage ist ein bisschen schwer zu beantworten. Für russische Maßstäbe ist unsere Wohnung ein Schloss. Aber russische Maßstäbe sind die Kommunalkas, wonach jede Zweizimmerwohnung wie das Paradies erscheint. Weshalb die Tatsache, dass mein Onkel ein Schuhregal unter der Badezimmerdecke angeschraubt hat, hierzulande niemand sonderbar findet, sondern viel mehr sehr erfindungsreich.

»Sonst noch was?«, fragen wir, bevor meine Verwandten uns alleine lassen.

»Jetzt ist Sommer. Du weißt ja, was demnächst passieren wird«, antwortet mein Cousin, während er sich in die Jacke zwängt.

»Ja, klar«, antworte ich.

»Was wird denn passieren?«, fragt Jost.

Was passieren wird, ist, dass das Warmwasser demnächst abgestellt wird. Jeden Sommer stellt man in Sankt Petersburg das Warmwasser ab, um die Leitungen, die wohl jährlich-sommerlich kaputtgehen, zu reparieren. Dabei wird unter anderem auch die Dichtigkeit des primären Wasser- und Dampfkreislaufs in den Heizkraftwerken überprüft. Dazu wird häufig grüne Ölfarbe in den Kreislauf gegeben. Die Tatsache, dass so manch Petersburger nach dem Duschen mit kaltem Wasser grün gesprenkelt herauskommt, zeigt jedes Jahr aufs Neue, dass es mit der Dichtigkeit wohl nicht so weit her ist. Ein Großteil der Bevölkerung verbringt die Sommermonate auf den Datschas außerhalb der Stadt, und der andere Teil, sagen sich die Stadtwerke, kennt es nicht anders. Weshalb Dialoge wie der folgende im Sommer gang und gäbe sind: »Wann wurde das Wasser denn bei euch abgestellt? Ah, Ende Juni schon? Das ist gut, dann können wir ja wahrscheinlich ab Ende Juli zu euch zum Duschen kommen!«

Endlich allein, gehen Jost und ich noch einmal auf Erkundungsreise durch die Wohnung. Riesige Stapel Altpapiers in einer Ecke rufen den Begriff »Mukulatura« in meinen aktiven Wortschatz: Früher gab es Anlaufstellen, wo man bestimmte Mengen Altpapier gegen die Gesamtausgabe von Alexandre Dumas umtauschen konnte, weshalb so ziemlich jeder Russe ein großer Bewunderer des Grafen von Monte Christo ist. Schulkinder mussten in regelmäßigen Abständen zwei Kilo Altpapier in der Schule abgeben, um ihre Versetzung nicht zu gefährden.

Der Flur ist vollgestellt mit riesigen Gläsern eingelegter Gurken und Marmeladen: der Wintervorrat, den mein Onkel auf der Datscha vorbereitet und mein Cousin Wochenende für Wochenende im Zug in die Stadt schleppt. Am schönsten ist aber, dass sich das alles wie eine Zeitreise in meine Kindheit anfühlt: Wir hatten den gleichen Kühlschrank, die gleiche Waschmaschine (die im Flur steht, weil sie zu groß fürs Badezimmer ist), die gleichen Polstermöbel, die gleichen Betten zu Hause. Viel Auswahl gab es in der Sowjetunion nicht: Man nahm, was es gab, und selbst dafür musste man sich auf Listen eintragen, monatelang jeden Tag in die jeweiligen Geschäfte gehen und unterschreiben, dass man an dem Schreibtisch XY immer noch interessiert war. Die Menschen warfen ihre alten Möbel auf den Müll, um die gleichen »modernen« Stücke in ihre Wohnungen stellen zu können, mit denen sich auch ihre Nachbarn, Freunde und Verwandten einrichteten.

Jedes Silvester sehen sich alle Russen auf der ganzen Welt denselben Film an, eine Silvesterkomödie, die als bester und bekanntester russischer Film gilt: Einer langen Tradition zufolge geht ein Moskauer mit seinen Freunden an Silvester in die Banja, ins russische Dampfbad, wo er ein paar Mal zu oft aufs neue Jahr anstößt. Ohne dies aufgrund des Wodkagehalts in seinem Blut zu realisieren, wird er von seinen Freunden anstelle eines anderen in ein Flugzeug nach Petersburg verfrachtet. Dort lässt er sich im Taxi in »seine« Straße zu »seinem« Haus fahren (denn natürlich gibt es eine genauso benannte Straße in Petersburg), wo er »seine« Wohnung mit »seinem« Schlüssel aufsperrt (ja, auch eine große Schlossauswahl gab es nicht) und ins Bett fällt. Dass es nicht sein Bett, nicht seine Wohnung ist, fällt ihm nicht auf, weil sie genauso eingerichtet ist wie die seine. Die dort lebende Frau ist über diesen Besuch natürlich wenig begeistert …

»Sehr schöne Komödie! Und ungewöhnlich sowjetkritisch. Aber total unglaubwürdig!«, sagte Peter, als er den Film zum ersten Mal sah. Die Zahl unserer zusammen verbrachten Jahre entspricht der Anzahl der Male, die er den Film gesehen hat.

»Unglaubwürdig!«, schnaubte meine Mutter. Und erzählte ihm, wie sie zur selben Zeit wie ihre beste Freundin die eigene Wohnung bekam und einrichtete. Nachdem beide Familien unverabredet die gleichen Wohn- und Küchenmöbel sowie das gleiche Geschirr in genau gleich geschnittenen Wohnungen verteilt hatten, beschlossen sie, zumindest für unterschiedliche Lampen zu sorgen. Wie stolz war meine Mutter, als es ihr gelang, einen tschechischen Kronleuchter (aus dem Blickwinkel des östlichen Petersburg war die damalige Tschechoslowakei der blühende Westen, fast schon die USA) zu ergattern, den mein Vater stolz an die Zimmerdecke schraubte. Wie stolz war die beste Freundin meiner Mutter, die anrief, um von ihrem außergewöhnlichen tschechischen Kronleuchter zu berichten!

Das Sofa im Wohnzimmer meines Onkels lässt sich eigentlich ausziehen, hatte mein Cousin uns versichert. Jost, der starke Mann, zieht an allen Seiten und Enden, die er zu fassen bekommt, legt sich auf den Boden, um das System von unten zu inspizieren, stellt technisch hochkomplizierte Berechnungen an. Ich sitze im Sessel, blättere in alten Fotoalben und lasse ihn machen. Meine Eltern hatten meine ganze Kindheit lang auf demselben Sofamodell geschlafen. Es blieb die ganze Woche ausgezogen, und jeder Samstagmorgen begann ritualartig damit, dass mein Vater seine Werkzeugkiste holte, um es irgendwie zusammenzuschieben.

»Ich kriege es nicht auseinander!«, mault Jost nach einer halben Stunde.

»Natürlich nicht.«

»Und jetzt? Ich gebe dir mein Bett nicht her!«

»Ich kann auch so schlafen.«

»So? Das ist nicht mal neunzig Zentimeter breit!«

Ach, solange ich unter einem roten Wandteppich schlafen kann, fühle ich mich wie im Luxushotel.

Mythos Nummer Eins: Die russischen Frauen

Sie halten genau 43 Minuten durch. 43 Minuten, in denen ich abwechselnd gedrückt und auf Armlänge weggehalten werde, damit mein Aussehen beurteilt werden kann (die Haarfarbe ist gut, nicht aber die Länge; zu den Klamotten äußern wir uns lieber nicht); 43 Minuten, in denen Jost begutachtet wird (was für wunderschöne blaue, deutsche Augen!); 43 Minuten, in denen wir bereits die Vorspeise aufgegessen und mit Wodka angestoßen haben (auf ein Wiedersehen, endlich mal wieder, und darauf, dass Jost Sankt Petersburg gefällt – alle Reaktionen unterhalb von grenzenloser Begeisterung und unsterblicher Liebe sind untersagt). 43 wunderschöne Minuten, und dann fallen die magischen Worte:

COUSINE: »Und wie geht es Peter so?«

Und bevor ich antworten kann:

COUSINE: »Heiratet ihr bald?«

Und bevor ich darauf antworten kann:

Cousine: »Jost ist auch nicht verheiratet, oder?«

Und bevor ich auch nur den Mund geöffnet habe:

Tante: »Natürlich ist er nicht verheiratet, sonst würde er doch nicht mit Lena verreisen.«

Mann von Cousine: »Weiß man nicht. In Deutschland. Lena hat ja auch Peter und verreist mit Jost. Und Peter ist alleine in Deutschland.«

Cousine: »Wahrscheinlich würde Peter Lena gerne heiraten, aber sie will nicht. Warum willst du nicht?«

Klar, Peter ist der Gute, ich bin die Böse.

Jost lächelt freundlich in die Runde und nimmt sich zufrieden noch mehr Kartoffelsalat. Es ist doch um einiges entspannter, wenn man kein Russisch versteht.

Tante: »Vielleicht hat er ihr noch gar keinen Antrag gemacht.«

Mann von Cousine: »Vielleicht lasst ihr Lena mal antworten.«

Was – mich? Wozu denn? Ist doch alles klar: Da ist Peter, der mich Tag und Nacht auf Knien und mit einer roten Rose quer im Mund anbettelt, seine Frau zu werden. Da bin ich, die ich eiskalt ablehne und stattdessen mit Jost nach Russland verreise, und Jost, der trotz seiner wunderschönen blauen Augen auch nicht verheiratet ist.

COUSINE: »Was soll ich sie fragen, sie wird uns wieder erzählen, dass sie nicht weiß, wozu sie heiraten soll.«

TANTE: »Wie wozu? Jeder muss heiraten. Du bist schon sechsundzwanzig. Willst du eine alte Jungfer bleiben? Willst du keine Kinder?«

COUSINE: »Sie denkt, man kann Kinder haben, ohne verheiratet zu sein.«

MANN VON COUSINE (vorsichtig): »Vielleicht ist es ja in Deutschland so. Lasst Lena doch mal was sagen.«

TANTE: »Jede Frau wünscht sich doch eine Hochzeit. Ein wunderschönes weißes Kleid, ein großes Fest, Gäste. Das ist doch der wichtigste Tag im Leben einer Frau! Eine Hochzeit kann so wunderschön sein.«

Am Vormittag haben Jost und ich mehrere Stunden damit verbracht, wunderschöne russische Hochzeiten zu beobachten und zu fotografieren. Es gibt in Russland die Tradition, am Hochzeitstag samt Hochzeitsgesellschaft vor einer Sehenswürdigkeit Fotosessions zu veranstalten. Beliebte Hintergründe in Petersburg sind: das Marsfeld, das Denkmal des Ehernen Ritters und, natürlich, die Kussbrücke, die diesen Namen einer nicht mehr existenten Kneipe, die »Kuss« hieß, zu verdanken hat und viele Legenden für Verliebte auf ihren Pfeilern trägt. Jost und ich, wir bevorzugen die Kussbrücke als Beobachtungspunkt für russische Hochzeiten. Hier muss der Bräutigam die Braut über die Brücke tragen, zum »Wir wünschen euch Glück!«-Lied tanzen, das ein und derselbe Tubaspieler für ein paar Kopeken im Akkord jedem Hochzeitspaar vorspielt, immer etwas schief. Meine Lieblingstradition ist aber die, bei der sich die gesamte Hochzeitsgesellschaft in einer Reihe aufstellt und auf »Eins, zwei, drei!« in die Höhe springt. Wozu? Es sieht großartig aus! Vor allem der Moment, in dem die Damen dann wieder auf ihren Stilettos landen.

Jost und ich beobachten innerhalb von einer Stunde so an die 30 Brautpaare, von denen

– etwa 30 im Hummer oder in langen, gerne rosafarbenen Stretchlimousinen anreisen,

– etwa 30 Trauzeugen dabeihaben, die an rotgoldenen Schärpen mit dem Wort »Trauzeuge« zu erkennen sind – vermutlich um im wilden Hochzeitsgetümmel Verwechslungen mit dem Bräutigam zu vermeiden,

– etwa 28 der Bräute mit Rosen und Herzen bestickte glänzende Schleppen-Reifrock-Hochzeitskleider tragen, die man in Deutschland für die Hochzeitstorte halten würde,

– etwa 5 offensichtlich

– und 3 weitere vermutlich schwanger sind,

– und höchstens 3 Paare auch nur annähernd glücklich und verliebt aussehen.

Und keiner der Brautleute ist älter als 23.

Josts Lieblingsbräutigam trägt einen glänzenden weißen Anzug und eine Vokuhilafrisur und versucht angestrengt, die Fassung zu wahren. Seine Braut sieht dick, schwanger und unglücklich aus; irgendwo in einer der Stretchlimousinen sitzt vermutlich ihr Vater mit einem überzeugenden und großkalibrigen Argument für diese Hochzeit. Jost holt sein Handy heraus und ruft unverzüglich Peter an, um ihm einen Deal vorzuschlagen: Wenn Peter bei unserer Hochzeit solch einen glänzenden Anzug sowie eine Vokuhilafrisur trägt, zieht er, Jost, das rote Minikleid und die High Heels an, die die Brautmutter zieren. Ich glaube, weiter war Peter nie von der Idee eines Heiratsantrags entfernt.

TANTE: »Wir haben hier in Petersburg wunderschöne Hochzeitskleider. Und Anzüge. Ihr könntet also die Hochzeitssachen hier kaufen. Ist bestimmt billiger als in Deutschland. Was kostet ein Hochzeitskleid in Deutschland?«

COUSINE: »Du bist doch eine Frau. Eine Frau wünscht sich doch so etwas!«

Ob ich eine Frau bin, wird in Russland des Öfteren in Frage gestellt. Tat mein Vater schon, als ich in der Pubertät darauf bestand, Doc Martins zu tragen, die zu bezahlen er sich hartnäckig weigerte.

Eine Frau, eine richtige Frau, die trägt Absätze. Stilettos. Höhe: ab zehn Zentimeter aufwärts. Und Röcke. Aber richtige Röcke. Also Gürtel auf Deutsch. Sie trägt auch Lippenstift und blickt möglichst geheimnisvoll distanziert.

Ich, ich trage Sneakers. Ich besitze Sneakers in jeder Farbe des Regenbogens. Die haben gar keine Absätze und sind sehr bequem. Wenn man den ganzen Tag durch die Stadt läuft, erweisen sie sich als echte Freunde. Dazu trage ich Jeans.

Meine Gürtel stecken in den Gürtelschlaufen und dienen nicht als Rockersatz. Statt geheimnisvoll zu gucken, verreise ich mit meinem besten Freund. Das ist *mein* Geheimnis.

Tante: »Was glaubst du – etwa dass diese Frauen nicht den ganzen Tag unterwegs sind?«

Die russischen Frauen – die richtigen russischen Frauen, nicht diejenigen, die schon öfter im westlichen Ausland waren und dort die Bequemlichkeit von flachen Schuhen für sich entdeckt haben – sind tatsächlich den ganzen Tag unterwegs auf ihren extra hohen High Heels. Mehr noch: Sie rennen damit herum. Auf dem historischen Kopfsteinpflaster Sankt Petersburgs rennen sie zum Beispiel mit Einkaufstüten einem Bus hinterher. Oder auf Eis, wenn im russischen Winter die Straßen zufrieren. Rennen. Ich bräuchte Stützräder auf jeder Seite, um darauf nur stehen zu können. So gesehen bin ich wirklich keine richtige Frau.

Nicht, dass diese Tatsache mein Selbstbewusstsein ankratzen würde. Ist mir doch egal, wenn sie langbeinig und spindeldürr an mir vorbeispazieren. Wobei sie täglich russisch essen, mindestens drei nicht gerade fettarme Gänge, keine Glyx-Diät, keine Trennkost. Ich habe nach zwei Wochen in dieser Stadt das dringende Bedürfnis, meinen Fitnesscenter-Ausweis wiederzufinden (und das habe ich wirklich selten). Aber auch davon lasse ich mich nicht verunsichern. Weil ich ganz genau weiß, dass die meisten von ihnen in ein paar Jahren, wenn sie verheiratet sind und kinderreich, plötzlich aufgehen werden wie Piroggenteig. Komisch, dass das den Männern nicht klar ist: Die blonden russischen Engel, wie man sie auch in Katalogen begutachten kann, und die russischen Babuschkas, nach denen keiner mehr den Kopf umdreht – da könnte doch ein Zusammenhang bestehen. Es ist wie bei den Schmetterlingen und den Raupen, nur umgekehrt. Ich hingegen werde nach wie vor meine Sneakers und Jeans tragen sowie dasselbe Gewicht. Hoffe ich zumindest.

Nein, ich lasse mir mein hart erarbeitetes Selbstbewusstsein nicht nehmen. Es gibt einfach Dinge, die ich zukünftig meide. Nie wieder würde ich zum Beispiel in Petersburg eine Modeboutique betreten.

Bei meiner letzten Reise hatte ich das unvorsichtigerweise getan. Die Verkäuferinnen, in modische Rockgürtel gekleidet, lehnten gelangweilt an der Kasse. Keine eilte mir entgegen, um mich zu fragen, ob sie mir behilflich sein könne. Wozu denn auch, ich wollte ja nur Geld ausgeben.

Stattdessen musterten sie mich. Von oben bis unten. Und wieder zurück. Ohne auch nur den Versuch zu unternehmen, es heimlich zu tun. Wozu!

Während ich das olivgrüne T-Shirt hin und her wendete, dachten sie:

Flip Flops. (Besonders verpönt hierzulande. Das sind doch keine Schuhe!)

Jeans.

Umhängetasche.

Keine Schminke.

Falsche Marken.

Falsche Klamotten.

Keine Frau.

»Was brauchen Sie?«, fragte mich schließlich eine Verkäuferin mit abschätzigem Blick, die russische Version von: »Guten Tag, kann ich Ihnen vielleicht behilflich sein?«

Ich floh.

Ich gehe in Russland nicht shoppen, und in der Metro halte ich mich einfach von allen Frauen fern. Selbstschutz. Manchmal bremst die Metro unvermittelt, und dann muss ich, weil es immer so voll ist, um mein Augenlicht bangen. Oder um meine Haut. Die russischen Frauen, die echten Frauen, die haben Fingernägel, so lang wie mein halber Finger. Gerne mit Blümchen bemalt. Manchmal sogar noch beschrieben, in Schönschrift. Und sie leben damit. Das beschäftigt mich richtig: Die Frage, wie das geht. Wie halten sie zum Beispiel eine Brotscheibe in der Hand? Wie tippen sie auf einer Computertastatur? Da muss es doch einen Trick geben!

Aber verunsichern lasse ich mich davon nicht. Auch nicht, als Jost mehr Bilder von russischen Frauen knipst als von den historischen Jugendstilbauten. Auch nicht, als Peter Jost am Telefon fragt: »Und wie findest du die russischen Frauen?« Ich weiß ja, wie sie in ein paar Jahren aussehen werden. Die meisten von ihnen.

Außerdem sind sie bestimmt in einer russischen Frauenschule gewesen, die mir vorenthalten worden ist, weil ich in dem betreffenden Alter bereits in Deutschland lebte. Die Schule ist übrigens geheim. Ich habe noch keine Russin getroffen, die deren Existenz zugegeben hätte. Aber sie waren alle dort. Das weiß ich.

Dort haben sie das Stolzieren gelernt. Den unnahbaren und geheimnisvollen Blick. Die Kunst, sehr viel Schminkzeug in sehr kleinen Täschchen zu verstauen. Und das Posieren. Posieren ist dort bestimmt ein Hauptfach.

Klar, dass Russen nicht einfach nur Fotos knipsen. Klar, dass sie sich vor Kirchen, Theatern, Palästen und anderen imposanten Gebäuden postieren und gequält natürlich in die Kamera lächeln. Auf den Fotos sind sie dann kaum zu erkennen, weil der Hintergrund komplett draufpassen muss. Das ist aber nun wirklich kaum eine russische Spezialität; solche Bilder finden sich auch in japanischen, amerikanischen, aber auch deutschen Fotoalben zuhauf. Aber die russischen Frauen, die richtigen Frauen, die stellen sich nicht einfach so hin und lächeln. Nein! Sie werfen sich in Pose. Als wären sie alle Heidi Klum und ihr glatzköpfiger Ehemann in Opasandalen ein Fotograf des Pirelli-Kalenders. Sankt Petersburg ist voll von solchen Heidi Klums. Eins, zwei, drei: verführerisch, lasziv, sexy. Werfen den Kopf nach hinten, damit die Haare im Wind wehen. Lehnen an Mauern und blicken mit Schlafzimmerblick samt Schnute in die Kamera. Nehmen die berühmte Marilyn-

Monroe-Pose ein, nur mit kürzerem Rock. Und alles ganz natürlich.

Cousine: »Was für Hochzeitskleider trägt man in Deutschland denn zur Zeit so?«

Als würde ich hauptberuflich durch Brautkleidergeschäfte schlendern, um Preise und Schnittmuster zu vergleichen.

Ich (endlich): »Peter und ich wollen nicht heiraten.«

Kurzes Schweigen, das so schockierend laut ist, dass Jost endlich von seinem Teller aufschaut und selbst die Kinder verstummen.

Tante: »Aber wenn du heiraten würdest, was für ein Kleid würdest du dann tragen?«

Ich: »Gar keins. Aber Jost, Jost würde bei unserer Hochzeit ein rotes Minikleid tragen. So wie es echte Frauen hier anziehen.«

Und nun endlich, endlich ist das Zentrum der Aufmerksamkeit komplett und endgültig verschoben. Viel Spaß, lieber Jost!

Sitzen nicht vergessen

Meine Tante und ich, wir haben bereits ein Datum für meine Hochzeit. Peter weiß zwar nichts davon, nicht mal, dass wir überhaupt heiraten, aber meine Tante sagt, das sei nicht so wichtig. Sie ahnt außerdem, dass ihm das Datum gefallen wird. Und dass er mir sowieso bald einen Antrag machen wird. Sobald ich mich »endlich normal benehme«, was auch immer das heißt. Ich glaube, meine Art, Dill zu schneiden, hat damit zu tun. Einmal sagte sie zu mir, als ich helfen und Dill schneiden wollte: »So wie du Dill schneidest, wirst du es im Leben zu nichts bringen!«

Anhand mehrerer astrologischer Bücher und Kalender überprüft meine Tante, ob mein Hochzeitsdatum auch wirklich gut ist. Sie ahnt es zwar – wie viele russische Frauen ahnt meine Tante ständig etwas –, aber um sicherzugehen, muss sie es noch einmal auf die astrologische Stichhaltigkeit überprüfen.

»Ich glaube nicht an diesen Sternenquatsch!«, sage ich, als meine Tante nun in der Abstellkammer nach einem weiteren Buch kramt.

»Was für Putin gut genug ist, ist es für dich wohl nicht?«, fragt meine Tante, die auch Wodka namens »Putinka« trinkt. Viele Russen sind verrückt nach allem Magischen, Mystischen und Esoterischen. Wladimir Putin soll den Zeitpunkt seiner zweiten Amtseinführung – 7. Mai 2004 – mit seinen Astrologen abgestimmt haben. Ich stimme den Zeitpunkt meiner nicht geplanten Hochzeit mit meiner Tante ab.

»Nicht, dass ihr die Hochzeit durch diese Datumssucherei verhext«, gibt meine Cousine zu bedenken.

Oh ja, da müssen wir aufpassen! Man kann in Russland so ziemlich alles verhexen, »verschauen«. Ich darf ja kaum über das morgige Wetter sprechen, nicht, dass ich es verhexe. Russen lieben ihren Aberglauben. Sie bauen ihr Leben vorsichtig darum herum auf.

Was Jost natürlich nicht weiß. Weshalb Jost auch eindeutig schuld ist an dem einen regnerischen Tag während unserer zweiwöchigen Reise, an dem Glas, das mir aus der Hand fällt und zerbricht, an dem Schnupfen meines kleinen Neffen. Und wahrscheinlich sogar am Hunger in der Dritten Welt.

Am ersten Tag lehnt Jost zum Beispiel die Hausschuhe ab, die mein Cousin ihm anbietet. Er sagt, er habe warme Socken und trage auch zu Hause keine Hausschuhe. Was aber, wenn der Hausgeist, der »Domowoi«, keine warmen Socken mag? Der mag nur Hausschuhe, das weiß doch jedes russische Kind!

Jetzt muss ich mich mit dem Hausgeist auseinandersetzen und ein gutes Wort für Jost einlegen.

Ebenfalls am ersten Tag sagt Jost strahlend: »Ich bin mir sicher, es wird eine schöne Zeit hier in Petersburg!«

Woraufhin mein Cousin ihm antwortet: »Spuck!«

Wenn man so viel verschaut wie Jost, muss man das Spucken beherrschen. Man muss über die linke Schulter spucken, das kann – leider nicht garantiert – die Verhexung aufheben. Es ist die einzige Chance.

»Spuck?«, fragt der verwirrte Jost, der meine Familie erst seit zwei Stunden kennt und sich sicherlich fragt, ob er nicht doch noch schnell ein Hotel buchen kann.

»Spuck über deine linke Schulter!«, antworte ich.

»Warum?«

»Weil wir sonst keine schöne Reise haben werden. Du hast sie soeben verhext! Spuck!«, erkläre ich ihm.

»Spuck!«, sagt auch meine Tante.

»Spuck!«, befiehlt mein Onkel.

»Spuck!«, sagen wir alle im Chor.

Und Jost spuckt. Vorsichtig zwar, aber er spuckt. Nun starren meine Verwandten ihn völlig entgeistert an. Sicherlich fragen sie sich, wo ich diesen Unhold aufgetrieben habe.

»Er hat gespuckt!«, ruft meine kleine Nichte und bricht in Gelächter aus. Sie ist jetzt schon verliebt in ihn.

»Warum hast du denn gespuckt?«, will ich wissen.

»Bitte? Ihr habt doch gesagt, ich soll spucken!«

Natürlich spuckt man nicht richtig. Man tut nur so.

Man tut so einiges nur so, wenn es um Aberglauben geht. Weniger bedeutungsvoll ist es trotzdem nicht. Peter zum Beispiel, der will mich nie schimpfen. Das ist aber wichtig.

»Ich beschimpfe dich doch nicht!«, sagt er.

»Du sollst mich nicht beschimpfen, sondern mich schimpfen!«, habe ich ihm hundert Mal erklärt.

»Wo ist denn da der Unterschied? Ich werde dir die Daumen drücken!«

Und was soll mir das bitte bringen? Ein gedrückter Daumen soll mir bei wichtigen Terminen helfen? Mich durch Prüfungen bringen? Mein Flugzeug vor dem Absturz bewahren? Blödsinn! Schimpfen hilft. Die Russen sind nicht doof. Die Russen setzen sich nicht hin und verschwenden ihre Zeit mit Daumendrücken. Sie setzen sich hin und schimpfen. Dabei will Schimpfen gelernt sein. Es geht so: »Jost ist blöd. Jost kriegt nichts auf die Reihe. Jost wird sich wieder mal total blamieren. Ach, Jost, was sollen wir nur tun mit unserem armen Jost, der es einfach nicht kapiert?« Damit stellt man sicher, dass Jost im Nu die Welt erobern wird. All seine Erfolge hat er meinen Schimpftiraden zu verdanken.

All meine Nichterfolge führe ich darauf zurück, dass Peter mich nicht schimpfen will. Und dass er sich in den Sessel setzt und nichts anderes tut, als Daumen zu drücken, wage ich im Übrigen auch zu bezweifeln.

Am Anfang unserer Beziehung wollte er nicht einmal sitzen. Sitzen ist mindestens genauso wichtig wie Spucken und Schimpfen. Sekunden, bevor man zu einer Reise aufbricht, müssen sich alle für einen kurzen Moment hinsetzen. Um sogleich wieder aufzuspringen. »Sitzen auf'n Weg«, nennt man das.

Als wir erst kurze Zeit zusammen waren, ergab es sich einmal, dass wir von meinen Eltern aus in den Urlaub flogen. Wie immer wurden wir nicht rechtzeitig fertig, wie immer waren wir zu spät dran. Alle rannten wie die Verrückten durch die Wohnung, packten irgendetwas ein, überprüften die Tickets, das Terminal, mahnten zur Eile.

»Okay, ich glaube, wir haben alles! Wir können los«, sagte Peter und knöpfte seine Jacke zu.

»Stopp, wir müssen noch sitzen!«, rief meine Mutter und rannte als Erste ins Wohnzimmer. Ich folgte gehorsam. Mein Vater stellte den Koffer, den er soeben ins Auto tragen wollte, wieder ab, und gesellte sich zu uns. Meine Großmutter saß bereits im Sessel. Mein Bruder verließ unwillig seinen Computer und lief am sprachlosen Peter vorbei ins Wohnzimmer. Selbst der Hund setzte sich hin, indem er meinen Vater halb aus seinem Sessel verdrängte.

»Was ist denn jetzt los? Wir verpassen nun wirklich das Flugzeug!«, sagte Peter von der Wohnzimmertür aus.

»Setz dich hin!«

»Lena, wir haben keine Zeit zum Sitzen. Du kannst gleich im Flugzeug mehrere Stunden sitzen!«

»Nein, wir müssen jetzt sitzen! Damit wir eine gute Reise haben!«

»Was, wollt ihr jetzt beten oder so etwas? Meditieren?«, fragte Peter genervt.

»Nein, wir wollen sitzen.«

Unwillig setzte sich Peter auf die Couchkante. Sobald er saß, sprangen alle anderen auf. Mein Vater raste in den Flur und nahm beide Koffer. Der Hund raste ihm bellend hinterher. Ich schnappte meine Jacke, ohne sie anzuziehen, küsste meine Großmutter, winkte meinem Bruder zu und rannte die Treppe hinunter.

»Schnell, schnell, warum sitzt du herum?«, trieb meine Mutter Peter an.

»Was war das denn?«, fragte Peter, als wir uns von meinen Eltern verabschiedet und eingecheckt hatten.

»Nichts. Vor einer Reise muss man sitzen!«

Mittlerweile erinnert Peter uns alle daran, dass wir sitzen müssen, bevor wir von meinen Eltern wieder zurück nach München fahren. Bei unserem letzten Besuch warf ich, kurz bevor wir aufbrechen wollten, den Salzstreuer um.

»Bringt Streit«, sagte Peter und spuckte über seine linke Schulter.

»Wir haben keine Zeit. Ihr müsst zum Bahnhof!«, sagte meine Mutter. »Ich räume das nachher auf.«

»Nein!«, antwortete Peter streng. »Ich fege das rasch zusammen. Ihr dürft nicht fegen oder staubsaugen, bis wir zu Hause angekommen sind. Sonst haben wir keine gute Reise!« Er lässt mich außerdem nicht mehr zurückgehen und ein Buch holen, das ich von meinen Eltern ausleihen wollte und nun vergessen habe. Umzukehren ist auch ein schlimmes Vorzeichen. Das russische Leben ist voller schlimmer Vorzeichen, und nicht allen von ihnen ist mit Spucken beizukommen.

Wenn Peter und Jost sich sehen, reden sie über Politik, Musik, Filme, andere Nichtigkeiten, aber leider viel zu selten über wichtige Dinge wie den russischen Aberglauben.

Weshalb Jost sich nach seinem Spuckerlebnis auch noch an die Ecke des Tisches setzt.

»Natürlich ist er noch nicht verheiratet!«, ruft meine Cousine sogleich aus und schiebt Jost unwirsch weiter. Man wird nicht heiraten, wenn man an einer Tischecke sitzt.

»Ich sehe aber«, sagt meine Tante und lässt ihren Blick in die Ferne schweifen, »Josts Hochzeit. Ja, wirklich, es ist Jost!«

»Na super, jetzt hast du seine letzte Chance verschaut!«, seufzt meine Cousine.

Als meine Familie uns am ersten Abend verlässt, dreht sich mein Cousin auf der Türschwelle noch einmal um und fragt: »Seid ihr sicher, dass ihr zurechtkommt?«

»Ja, klar«, versichere ich ihm.

»Wenn irgendwas ist, ruft uns an. Tag und Nacht. Hast du verstanden, Jost, Tag und Nacht!«

Jost ist ganz gerührt. Und gibt meinem Cousin als Zeichen des Dankes und der Zuneigung noch einmal die Hand. Einfach über die Türschwelle hinweg die Hand. Ein schlimmeres Vorzeichen kann es kaum geben.

Jetzt kann eigentlich alles nur noch schiefgehen.

Das verbotene Lächeln

Ich bräuchte ein Wörterbuch, denke ich mehrmals am Tag, ein Russisch-deutsch-und-andersherum-Wörterbuch, für das viele Unübersetzbare. Für »blat« zum Beispiel. Immer wieder sagt jemand: »Wir haben es damals über ›blat‹ bekommen.«

»Blat« ist nicht einfach Vitamin B, und »blat« bedeutet mehr als nur Beziehungen. »Blat«, das hieß Überlebenssicherung, damals in der Sowjetunion, als Fünfjahrespläne groß angekündigt, aber niemals erfüllt wurden. Wenn im real existierenden Sozialismus fast gar nichts mehr funktionierte, funktionierte noch das »blat«-System: Weil mein Onkel über den Cousin seines Kollegen an Konservenfleisch herankommt, wird die Nichte meiner Nachbarin, die im Bildungsministerium arbeitet, dafür sorgen, dass mein Kind in die bessere Schule kommt (obwohl alle Schulen in der Sowjetunion natürlich gleich gut waren; gleich gute Schulen für gleich gute Schüler). »Blat« war so still und allmächtig, wie manche es von Gott behaupten: Man musste seine Existenz nicht beweisen, nicht aussprechen; es war einfach da, in jedem Menschen, jeder Handlung, im Alltag, jeden einzelnen Tag. Kommentarlos wurden Pralinenschachteln und Kaviardosen (die mächtigste aller Währungen, der Goldbarren Russlands sozusagen) über Schreibtische geschoben; Türen öffneten sich wie durch Wunder, aber in Wirklichkeit mithilfe des Exmanns der Frau, mit der man täglich Bus fuhr. Weil man ihr doch Zitronen besorgt hatte, damals, als sie die Grippe hatte, aber psst, darüber spricht man natürlich nicht. »Wir haben es über ›blat‹ bekommen«, ach, was für ein wichtiger, sozialistisch-schöner Satz; wo steht denn in »Vitamin B« etwas von Überlebensnot? Und wie wird »blat« wohl im Wörterbuch übersetzt? »Macht« fände ich schön, poetisch, aber Wörterbücher haben selten mit Poesie zu tun.

Trotzdem merken: Beim nächsten Mal Wörterbuch mitnehmen. Eines, das in die Handtasche passt.

Beidseitig muss es sein, Deutsch-russisch ist auch wichtig. Wie übersetzt man: Dienstleistungsgesellschaft? Dienstleistungsgesellschaft, eine typisch deutsche Zusammensetzung auf den ersten Blick, aber was für ein paradiesischer Zustand auf den zweiten! Eine Gesellschaft, in der Dienstleistungen bedeutsam sind, käuflich zwar, wie alles im Kapitalismus, aber es gibt sie wenigstens. »Kann ich Ihnen behilflich sein?« und: »Ach, das steht Ihnen wunderbar, passt ganz toll zu Ihren Augen«, auch wenn man aussieht, als hätte man sich einen Kartoffelsack übergezogen. Und dann, nachdem man sein Erspartes trotz aller guten Vorsätze gegen eine Papiertasche und ein Stückchen Stoff eingetauscht hat (weil doch das Wetter heute so schlecht ist und man Streit mit dem Freund hat und überhaupt, Shoppen hilft bekanntermaßen gegen schlechte Laune besser als Schokolade), am Ende: »Vielen Dank für Ihren Einkauf und einen schönen Tag noch!« Und dazu ein automatisiertes, selten ehrliches Lächeln, während im gut frisierten Hinterkopf Gedanken ganz anderer Art herumschwirren: Familiensorgen, Einkaufslisten, Kollegenmobbing; aber dennoch ein Lächeln.

In Russland ist Lächeln verboten. Ist sicherlich gesetzlich festgeschrieben. »Im Dienstleistungsgewerbe ist Lächeln strengstens untersagt. Bei Zuwiderhandlung droht Freiheitsstrafe.«

Da sind zum Beispiel diese Frauen, die an jeder Straßenecke stehen und Getränke verkaufen, all das ungesunde westliche Zeug, Cola, Fanta und ähnlicher Schrott zu fast westlichen Preisen. Auch Mineralwasser, die Flaschen sind immer unterschiedlich hoch gefüllt, aber vielleicht machen die Wasserhersteller das hierzulande so, wer weiß. Die Getränkeverkäuferinnen auf jeden Fall, immer in die gleichen blau-verblichenen Daunenwesten gekleidet, ob eiskalter Winter- oder strahlender Sommertag, wollen Getränke verkaufen. Würde man zumindest annehmen. Geld verdienen, um sich mit dem Notwendigen versorgen zu können, um über die Runden zu kommen, Russland ist doch – zumindest in weiten Teilen – ein armes Land. In ihren Gesichtern: die Sorge, dass sie dieses Geld heute nicht verdienen werden, die Sorge um die Enkelchen, vielleicht sogar die Sorge um den miserablen Zustand der Welt.

»Guten Tag!«, sage ich. Ich erwarte keine Reaktion. Ich bin Russin im Grunde meines Herzens. Ich verkneife mir jedes Lächeln, jeden Anflug guter Laune, die ich gerade noch hatte; wer weiß, ob das Lächeln nicht auch für Kunden verboten ist. Die Frau starrt mich böse an.

Sie schweigt.

Sie starrt.

»Ich hätte bitte gerne eine Flasche Wasser«, sage ich höflich und verdränge die Horrorgeschichten über vergiftetes und salmonellenhaltiges russisches Leitungswasser, das sich so leicht in diese Flaschen nachfüllen lassen würde.

Sicherheitshalber zeige ich kurz auf die Flasche, die ich haben will.

Die Verkäuferin starrt mich an.

Fünfunddreißig Rubel, steht auf dem mit einem fast leeren schwarzen Filzstift bemalten Stück Karton, ich verkneife mir nun den Gedanken daran, dass die Flasche ein paar Meter weiter dreißig Rubel kostet, der kapitalistische Wettbewerbsgedanke hat also auch diese Damen erreicht, aber nicht der der Dienstleistung, weshalb ich das Geld schnellstmöglich, natürlich passend, abzähle und der Dame reiche: Es tut mir wirklich, wirklich leid, dass ich Sie bemühe. Ich wollte Sie nicht stören.

Mein Onkel hatte recht: »Wenn du zu Hause was trinkst, musst du unterwegs nichts kaufen.«

Mein Onkel sagt, wenn ich mich nach solchen Erlebnissen irritiert zeige: »Wozu sollen sie denn lächeln; sie werden dafür ja nicht bezahlt.«

Mein Onkel sagt, als ich eine Dame auf der Straße frage: »Entschuldigen Sie bitte, könnten Sie mir vielleicht sagen, wo die Trambahn Nr. 15 fährt?«: »Du kannst ja kein Russisch mehr. Es heißt: ›Wo fährt die 15?‹«

Die Dame antwortete mir: »Sind Sie blind, oder was? Lesen Sie die Schilder!«

Ich habe vergessen, dass die Haltestellenschilder oben an den Trambahnoberleitungen hängen. Ich habe auch vergessen, wo man die Fahrkarten für die Trambahn kauft – auf der Straße stehen keine Automaten wie in Deutschland. Weshalb ich bei unserer ersten Fahrt die Frau, die aussieht, als könnte sie die Tickets verkaufen, frage: »Entschuldigen Sie, könnten Sie mir bitte sagen, wo ich eine Fahrkarte kaufen kann?«

Sie sagt: »Ich trage eine Schaffnertasche, ich kontrolliere die Tickets; sind Sie blöd, oder was?«

Mein Onkel kommentiert: »Na und, du hast doch eine Antwort bekommen.«

Mein Onkel lebt schon immer in Russland.

Jost und ich, wir wollen unterwegs ein paar Wasserflaschen für zu Hause kaufen. Wir trinken abends Wodka und brauchen Wasser für die Nächte gegen den Brand.

(»Wozu?«, fragte mein Onkel.

»Zum Trinken«, antwortete ich.

»Du kannst es doch auch einfach abkochen und warten, bis es kalt ist«, sagte er weise.

Eine Idee, die ich Jost unterzujubeln versuchte.

»Wieso? Wir können doch auch welches kaufen«, antwortete der, nicht auf den Kopf gefallen.)

Also, noch einmal Wasser kaufen. Wie alle unsere täglichen Lebensmittel kaufen wir das Wasser in einer Markthalle, die es identisch an fast jeder Metrostation gibt. Die Markthalle ist eines jener unscheinbaren Überbleibsel aus der Sowjetunion, die in keinem Reiseführer erwähnt werden und deshalb so sehenswert sind. Gut, die Auslagen haben sich in der Zwischenzeit gefüllt, exotische Früchte, deren Namen ich nicht einmal auf Deutsch kenne, schmücken nun die Auslagen, aber die Verkäuferinnen, die wurden aus der Sowjetunion mit der Zeitmaschine direkt in die heutige Markthalle katapultiert. Nur die Gemüsestände werden hier von türkisch aussehenden Georgiern betrieben, und so fühlt man sich plötzlich, als sei man in Berlin-Kreuzberg.

An jedem Ladentisch jeweils andere Produkte: Milcherzeugnisse, Fleisch, Honig, Pralinen, Kekse, Torten, Brot, Obst, Gemüse, Fisch und Käse, auf dessen Etikett »Schweizer Käse – Herkunftsland: Deutschland« steht und der in graue Mercedes-Tüten eingepackt wird. An jedem Ladentisch das gleiche lächellose Gesicht.

Wasser also. Wasser an der Getränketheke. Davor: zwei große, vollbusige Verkäuferinnen mit Wachhundblick, die Arme vor dem wackeligen Dekolleté verschränkt, den Rücken aufrecht.

Ich habe ein schlechtes Gewissen, weil ich sie ansprechen muss, sie sind in eine Unterhaltung vertieft und schwer damit beschäftigt, mich zu ignorieren; aber: Was muss, das muss. Wir Deutschen brauchen unser gekauftes Wasser, das wahrscheinlich aus der Leitung kommt.

»Entschuldigen Sie bitte, ich hätte gerne zwei Zweiliterflaschen Wasser. Bitte«, füge ich noch hinzu. Das ist so schön, so einfach.

Sie starren mich beide an. Jost hat sich verdrückt, der Feigling. Der holt wohl den deutschen Schweizer Käse. Ich alleine gegen sie. Wasser abkochen ist eigentlich doch eine gute, sinnvolle Sache.

»Wo haben Sie denn Zweiliterflaschen gesehen?«, will die rechte Dame wissen, sie ist etwas jünger und etwas mehr geschminkt. Netter ist sie nicht.

»Dort, im Kühlschrank«, antworte ich.

»Gde?«

Wie einschüchternd dieses einsilbige kleine »Wo?« doch sein kann.

»Im Kühlschrank, unterstes Fach.« Ich zeige mit dem Finger darauf, auch wenn man das nicht soll.

»Gde?«

Ich stelle mich auf die Zehenspitzen, zeige noch einmal auf den Kühlschrank hinter ihnen, sie starren mich weiter an. Nicht verwundert, nicht spöttisch, nicht belustigt, sondern einfach … starrend.

Starrend.

Ich gehe um die Theke herum zum Kühlschrank, vorsichtig zu ihnen schielend, gehe in die Knie vor dem untersten Fach, zeige auf die Flaschen, »hier sind sie doch«.

Ohne ihre fülligen Arme auseinanderzufalten, ja, anscheinend ohne den Kopf zu wenden, blickt die Rechte über die Schulter zu mir.

»Die stehen zu weit hinten; da klettere ich nicht hin.«

Ich sitze gebeugt vor dem Kühlschrank, wo ist denn Jost. Jost!

Aber der kann kein Russisch.

Abgekochtes Wasser. Mein Onkel. Deutschland. Wasserkisten vom Getränkehändler. Sprudel aus sauberen Quellen mit Mineralien. Still, mittel, sprudelnd.

Hier dagegen: Starrende Stille. Stilles Starren.

Schuldbewusst stehe ich auf und gehe wieder hinter die Theke zurück, dort ist mein Platz.

»Kann ich dann vielleicht zwei Einliterflaschen haben?«, frage ich, denn die stehen im zweituntersten Fach ziemlich vorne. Kaum Hinunterbeugen notwendig, schon gar kein Klettern. Wenn ich nur zwei Flaschen statt vier nehme, muss sie sich auch nicht zweimal bewegen.

Ein Blick nach hinten. Ein langsames Auseinandernehmen der Arme, wie in Zeitlupe. Ein langsamer, gemächlicher Schritt nach hinten Richtung Kühlschrank. Ein Aufatmen meinerseits.

Hektisch und glücklich krame ich im Geldbeutel. Nicht passende Bezahlungen mag in Russland keiner.

»Vielen Dank«, sage ich, als die Dame mir die beiden Flaschen mit einem Seufzen entgegenhält. Harter Arbeitstag für sie. Das kann ich verstehen.

Stolz mache ich mich mit meinen beiden Einliterflaschen auf die Suche nach Jost. Den Geldbeutel drücke ich zwischen den Flaschen an mich; ihn einzupacken und die Dame das Wasser noch ein paar Sekunden länger halten lassen, nein, das wäre unzumutbar gewesen.

Jost steht vor der Markthalle und kauft den Babuschkas frische Gurken, Radieschen und Lauchzwiebeln ab. Die Babuschkas, in Kopftücher gehüllt, mit Wollschals um Schultern und Hüfte gegen das sie Tag und Nacht plagende Rheuma, bauen draußen vor der Markthalle ihre eigenen Theken aus Holzkisten auf. Sie verkaufen Gemüse, das sie mühevoll auf ihren Datschas züchten. In Tüten schleppen sie es mit dem Zug in die Stadt, legen die Gurken mit ebenfalls selbst gezogenen Kräutern ein, stellen sie morgens mit den frischen Sachen auf die wackeligen Kisten. Meistens stehen fünf oder sechs Babuschkas hinter einer Theke und bieten jeweils eine Handvoll Zwiebeln, ein Bund Radieschen oder zwei, drei Tomaten an. Will man mehr Tomaten kaufen, legen sie unter viel Gebrabbel ihre Waren zusammen und verteilen anschließend unter noch viel mehr Gebrabbel das Geld. Die Rente beträgt monatlich kaum siebzig Euro, auch für Russland nicht viel. Das Gemüse: ihre Riester-Rente. Jeden Tag kaufen Jost und ich ihnen etwas ab, meistens Gurken. Einmal kaufte ich frische Erbsen, eine Kindheitserinnerung an meine eigene Datscha, wo wir Kinder die Schoten direkt vom Strauch abrissen und die Erbsen in unsere aufgesperrten Mäuler rieseln ließen. Jost versuchte, die Schoten mit dem Messer zu öffnen.

Die Babuschkas nennen Jost liebevoll »Söhnchen«. Er versteht es nicht. Sie merken nicht, dass er kein Russisch spricht.

Ich stolziere Jost entgegen, die Flaschen an mein Herz drückend, wie das Kind, das ich einmal haben werde.

»Warum hast du denn nur zwei Liter genommen?«, fragt Jost. »Das reicht doch kaum für einen Tag.«

Abkochen, Jost, Abkochen heißt die Devise.

Die russische Seele: Alle russischen Lieder handeln von Abschied

Bei unserer Ankunft hatte meine Familie mütterlicherseits Jost und mir jeweils ein russisches Handy überreicht. Die Familie väterlicherseits, glückselig darüber, fühlte sich nun bemüßigt, mich stündlich anzurufen. Sie riefen mich an und fragten nach Jost.

»Hast du Jost was zu essen besorgt?«

»Was hat Jost gegessen?«

»Hat es Jost geschmeckt?«

»Vielleicht hätte Jost lieber Huhn essen sollen.«

Ich: »Wollt ihr wissen, was ich gegessen habe?«

»Wie hat Jost das ›Aurora‹-Schiff gefallen?«

Nicht, dass ich eifersüchtig wäre oder so.

Einmal rief mich meine Tante mütterlicherseits an, als ich gerade mit dem Cousin väterlicherseits telefonierte. Ich sagte, ich würde sie gleich zurückrufen. Als ich das tun wollte, war es bei ihr besetzt. Zusammen mit meiner Cousine stellte sie telefonisch gerade einen Plan auf, wer mich wann anzurufen habe, denn es ginge ja nicht an, dass ich mit der anderen Familie öfter telefonierte. Ab da musste ich zweimal stündlich von Josts Befindlichkeit berichten.

Jedes Gespräch mit meiner Cousine endete mit der Frage: »Er hat aber kein Hotdog gegessen?«

Peter hatte seinerzeit an seinem ersten Tag ein Hotdog gegessen. Wir waren samt Familie mit dem Schiff über den Finnischen Meerbusen nach Peterhof hinausgefahren, in die prächtige Sommerresidenz Zar Peters I., von der die Russen behaupten, Versailles sei eine kleine Datscha dagegen. Wir gingen im hochherrschaftlichen Park spazieren und bewunderten die Kaskaden und Springbrunnen sowie die ewig lange Schlange zum Eintritt ins Schloss. Dann sahen Peter und mein fünfjähriger Neffe den Hotdogstand. »Hotdog«, riefen sie wie aus einem Mund. Dafür musste man nicht viel Russisch können. Zusammen übten sie Lesen auf Russisch.

Ich hatte die Stimme meines Vaters im Ohr, die mir auftrug, Peter nichts von Straßenständen essen zu lassen. Als würde Peter mich vorher um Erlaubnis bitten. Mein Magen ist seit frühester Kindheit gut trainiert, aber Peters ist eben von westlicher Empfindlichkeit.

»Peter, ich würde es nicht …«, begann ich diplomatisch, aber bevor ich den Satz beendet hatte, warf Peter mir einen Blick zu, der deutlich sagte, dass er alt genug sei (wie kindisch!), und zwei Hotdogs waren bezahlt.

Mein kleiner Neffe ist in Petersburg aufgewachsen. Zwei Stunden nach dem Hotdog wollte er Eis und eine Cola. Peter hingegen eine Toilette.

»Du darfst Jost auf keinen Fall einen Hotdog essen lassen!«, trägt mir meine Cousine bei jedem Anruf auf.

Das kriege ich hin. Jost isst kein Hotdog. Dafür etwas anderes, wovon ihm schlecht wird.

Meine Familie leidet noch mehr als er, die russische Seele ist voller Mitgefühl und Liebe. Fast mehr Mitgefühl als Liebe. Sie alle wuseln um ihn herum, bieten ihm ein Medikament nach dem anderen an, flößen ihm Tee ein, schubsen mich mit bösen Blicken vom Sofa, um ihn auf die weichsten Kissen zu betten; die Kinder haben aus lauter Mitgefühl sogar selbst Bauchschmerzen bekommen. Meine kleine Nichte verwechselt allerdings

Bauch mit Herz und hält beide Hände jammernd ans Herz.

Meine Tante hält ihre Hände auch ans Herz und sagt: »Oj, ich kann mir gar nicht verzeihen, dass Jost krank geworden ist! Oj!«, seufzt sie noch einmal. Dabei wirft sie mir einen kurzen Blick zu, damit klar ist, wem sie Josts Bauchschmerzen nicht verzeihen kann.

»Geht es deiner Tante gut? Hat sie's am Herzen?«, fragt Jost vom Sofa, als er meine Tante so sieht.

Es ist, als würden Russen mit ihrer Freundlichkeit und Herzlichkeit draußen im Alltagsleben geizen, um privat ihren Freunden und Verwandten umso mehr davon bieten zu können. In einem russischen Zuhause wird nicht nur sehr viel gelächelt, es wird auch umarmt, gedrückt, geküsst, berührt und geherzt. Pausenlos.

»Woher soll ich denn das wissen?«, brummt meine Tante zurück, als sie auf der Straße nach dem Weg gefragt wird. Sie ist eilig unterwegs zum Supermarkt, nachdem sie festgestellt hat, dass sie von Josts Lieblingskeksen nur eine Packung zu Hause hat. Und sie wird gleich noch einmal bei der Nachbarin nach einem bestimmten Salatrezept fragen – den Salat hatten Jost und ich in der Stadt gegessen, gut gefunden und das in einem Nebensatz meiner Tante gegenüber erwähnt.

Aber weil Jost sich nun wirklich elend fühlt, sagt er, er wolle sich ein bisschen zurückziehen, lesen und dösen. Leider ist ihm das nicht vergönnt. Sobald der Gast allein gelassen wird, machen sich die Russen Sorgen, ihm könnte langweilig werden. Weshalb Jost abwechselnd Gesellschaft hat von meiner Tante, meinem Onkel, meinem Cousin, seiner Frau, ihrer Tochter (samt Freundinnen und Barbies) und, ja, auch mir. Auch ich kann nicht zulassen, dass der arme Kranke sich einsam fühlt.

Als ich an der Reihe bin, bei ihm zu sitzen, erzählt er mir Familiengeschichten, von denen ich keine Ahnung hatte. Er erzählt mir von den Kriegserlebnissen meiner Familie, von meinem Vater als Jugendlichen, von Freunden und deren Problemen oder von Verwandten, von denen ich noch nie gehört hatte. Alle hatten sie ihm ihre Seele ausgeschüttet, nichts hatten sie ihm erspart. Small Talk ist für Russen ein Fremdwort.

Jost wurde übrigens mit Wodka geheilt. Wodka heilt nämlich alle Krankheiten, indem er

Bakterien und Viren tötet. Wodka mit Honig. Als ich klein war, hatten wir einen Hund. Der Hund wurde krank, der Arzt wollte ihn einschläfern. Abends vor dem schlimmen Tag lag der Hund fast bewusstlos auf seiner Decke, wir alle saßen heulend um ihn herum. Eine Nachbarin kam vorbei, um Mehl auszuleihen (Nachbarn sind in Russland wie Familie, auch hier gilt die Herzlichkeit und Hilfsbereitschaft). Sie sah den Hund und uns und holte Wodka aus dem Schrank, den sie dem wehrlosen Hund einflößte. Am nächsten Morgen wurden wir alle von einem fröhlichen und lebensfrohen Bellen geweckt. Jost ist wie der Hund: Nach ein paar Löffeln Wodka mit Honig geht es ihm weitaus besser.

Zur Feier seiner Genesung wird Jost von meinem Cousin in die Banja geschleppt. »Du musst die Viren aus dem Körper schwitzen!«, sagt er.

Jost nickt zustimmend, denn er geht gerne in die Sauna. Er sagt zu mir: »Komm, pack deine Sachen.«

»Leichten Dampf!«, wünsche ich ihm.

Die Russen mögen aus dem Westen Fast Food, Technik und Kapitalismus übernommen haben, aber an ihrer Prüderie halten sie eisern fest. Das Wort Sex wird nur in »schlechten Kreisen«, und dort höchstens flüsternd, ausgesprochen. Wenn mein Cousin und mein Onkel Witze aus der sogenannten französischen Serie erzählen (spätestens nach dem dritten Wodka liefern sich die Russen einen Wettbewerb im Witzerzählen), die so harmlos sind, dass wir sie nicht einmal als unanständig einordnen würden, verlässt meine Tante entrüstet das Zimmer. Später höre ich sie schimpfen: »Wie benimmst du dich? Wir haben Gäste! Aus Deutschland! Was soll Jost von dir denken? Und weißt du, wie alt Lena ist? Deiner eigenen Nichte erzählst du diesen Dreck! Schämst du dich nicht?« Ich bin sechsundzwanzig. In Petersburg gibt es keine echt russischen Banjas, die von Männern und Frauen zur selben Zeit betreten werden dürfen, abgesehen natürlich von denen, die für Touristen eingerichtet wurden.

Die Banja, eine Art Dampfsauna, ist die russischste aller russischen Einrichtungen. Um den bereits erwähnten berühmten Silvesterfilm zu zitieren (und Russen werfen ständig mit Filmzitaten um sich): »Ja, ein Badezimmer in jeder Wohnung ist zwar schön. Aber: Im Badezimmer verkommt das Sichwaschen zu einem reinen Akt der Oberflächenreinigung!« Die Banja hingegen, deutlich heißer als die finnische Sauna, das ist wie eine Katharsis. Erhitzte Steine, die sich in einem Ofen in der Wand befinden, werden mit Wasser begossen, das nach Minze, Kräutern oder Bier riecht. Die Banjabesucher bringen alle eine gebundene Rute aus Birken- oder Eichenzweigen mit, mit der man sich gegenseitig schlägt. Was sich nach sadomasochistischen Gepflogenheiten anhört, ist in Wahrheit Massage und Reinigung in einem. Ist man kurz vor dem Umkippen, taucht man in ein Kühlbecken oder wälzt sich im Winter direkt im Schnee, um sich dann in Leintücher einzuwickeln, vor dem nächsten Banjagang Bier zu trinken und Trockenfisch zu essen und über Weltprobleme zu diskutieren. Denn Small Talk gibt's auch in der Banja nicht.

Gespannt warte ich ein paar Stunden später draußen auf Jost und meinen Cousin. Ist Jost jetzt zum ersten Mal in seinem Leben richtig sauber geworden? Oder kommt mein Cousin allein heraus, weil Jost schon längst geflohen und über alle Berge ist?

Mein Cousin kommt tatsächlich allein heraus. Kurz bleibt mein Herz stehen (ich wusste gar nicht, dass ich so sehr an Jost hänge), aber dann erscheint er doch, die Arme um zwei russische Männer gelegt, die ich noch nie in meinem Leben gesehen habe.

»Das ist Kostja!«, sagt Jost. »Und das Aljoscha! Meine neuen Freunde.« Er hält sich an den beiden fest, als hinge sein Leben davon ab. Mehr möchte ich lieber nicht wissen.

Zum Abschied will Jost den beiden die Hand geben. Was aber nicht geht. Weil sie ihm mit ihrem ganzen Körper entgegenkommen, ihn an die Brust drücken und ihm einen echten russischen männlichen Kuss geben. Leonid Breschnew und Erich Honecker würden vor Neid erblassen, wenn sie das sehen könnten!

»Und, wie war es?«

»Großartig! So sauber habe ich mich noch nie gefühlt. Und die Rasur nach dem ganzen Dampf, das war so weich! Ich glaube, ich habe jetzt eine russische Seele«, sagt Jost und legt nun einen Arm um mich und einen um meinen Cousin.

Auch hierbei kann ich nicht sagen, ob es sich um einen Liebesausdruck seiner neu entdeckten russischen Seele handelt oder ob er sicherstellen will, ohne größere Unfälle nach Hause zu kommen.

Zu Hause wird gesungen. Jeden Abend nach dem Essen holen mein Cousin die Gitarre und mein Onkel seine Holzlöffel, die er im Takt der Musik gegeneinanderschlägt, russische Percussion. Wenn die russische Seele irgendwo einen Wohnsitz hat, dann in diesen Liedern.

Die Lieder sind alle so melancholisch wie die Herzen der Russen. Voller Liebe und Traurigkeit über die Welt. Die Texte stammen meist von berühmten Dichtern und Liedermachern.

»Wunderschön«, sagt der musikalische Jost nach dem ersten Lied.

»Ja, aber du verstehst die Texte nicht. Wenn du die Texte verstehen könntest!«, seufze ich.

Nach dem zweiten Lied seufzt auch meine Tante: »Ach, wie schade, dass Jost den Text nicht versteht! So schade!«

»Wovon handelt das Lied denn?«, will Jost wissen.

Ja, wovon handelt es? Wovon handelt wahre Lyrik, wahre Dichtung, fragt sich die Russin in mir, die überzeugt ist, dass keiner, der nicht über eine russische Seele verfügt, so wunderschön dichten kann.

»Es handelt von Abschied«, antwortet mein Cousin.

Es stellt sich heraus, dass alle russischen Lieder von Abschied handeln. Es geht darin um Liebe, Freundschaft, Familien, aber letztendlich läuft alles auf den Abschied hinaus. Nach einer Stunde singt mein Cousin ein Lied, in dem es vordergründig um einen leeren Kühlschrank geht, was ich soeben fröhlich an Jost weitergeben möchte, aber mein Cousin kommt mir zuvor: »Es handelt von einem Kühlschrank. Und dem Abschied von ihm.«

In Deutschland darf ich nie singen. In dem demokratischen, offenen Land, in meinem links angehauchten, auf Gleichbehandlung aller Völker und Geschöpfe sinnenden Freundeskreis darf ich nie singen. Weil ich nicht schön singen kann. In Deutschland singt man schön. Es stimmt: Ich treffe die Töne nicht nur nicht, ich höre auch nicht, dass ich sie nicht treffe.

»Du kannst dafür ganz viele andere Sachen«, sagt zum Beispiel Jost, wenn ich mich beschwere.

Da kann ich natürlich schwer widersprechen, aber meine russische Seele, die will singen. Traurig-schöne Lieder, am liebsten über Abschied.

In Russland darf jeder singen, der eine Seele hat. Später wird Jost in Deutschland Peter, einem ebenfalls alle Töne treffenden Sänger, erzählen, dass er zunächst glaubte, die Frau meines Cousins würde die zweite Stimme singen, bis er verstanden hat, dass sie nur falsch singt. Es macht aber nichts, denn sie singt mit, und mein Onkel singt mit, meine Tante, meine kleine Nichte, die die Töne ebenfalls nicht trifft (sagt Jost). Als wir auf der Datscha draußen unter dem offenen Sternenhimmel singen, singen auch die Nachbarn mit, die spontan auf ein Stück Schaschlik vorbeischauen.

Ein anderes berühmtes Filmzitat aus dem Silvesterfilm besagt: »Menschen singen, wenn sie glücklich sind!«

Und so singe ich in Sankt Petersburg, ohne Rücksicht auf Josts Musikalität, lauthals mit.

Für seine Mutter in Deutschland, die Geburtstag hat, bringen wir Jost das russische Geburtstagslied bei. Weit gefasst handelt auch das von Abschied, zumindest wird es an den Stellen melancholisch, wo es darum geht, dass man leider nur einmal im Jahr Geburtstag hat. Nachdem Jost meine Lautschrift lesen gelernt und es aufgegeben hat, wie er es nennt, »die Melodie lernen zu wollen«, auch wenn ich finde, dass wir sie ihm alle doch sehr schön vorsingen, rufen wir seine Mutter an, und die ganze versammelte Mannschaft samt Nachbarskindern singt Josts nicht russischemotionaler Mutter das Geburtstagslied vor.

Zwei Minuten später kommt eine SMS von seinem Bruder, in der nur ein Wort steht: »Erbschleicher!«

Mythos Nummer Zwei: Wodka

Peter ist eifersüchtig. Auf Jost. Hat nichts mit mir zu tun, ich bin ja nur seine Freundin. Peters Eifersucht hat mit Wodka zu tun.

Während wir telefonieren und ich von unseren Abenteuern berichte, singt Jost im Hintergrund. Er singt schon eine ganze Weile. Ich habe ihm »Russland ist ein schönes Land, werft die Gläser an die Wand!« bereits vor einer halben Stunde nach der siebten Version untersagt, aber auch in seinem neuen Lied kommen die Worte »Zar« und »Moskau« für meinen Geschmack zu oft vor.

»Ist das Jost, der da im Hintergrund singt?«, will Peter wissen.

»Ja, und zwar seit einer geschlagenen Stunde. Der Wodka hat keinen besonders guten Einfluss auf ihn«, erkläre ich.

»Oh, ihr habt Wodka getrunken. Welchen denn?«

»›Standard‹ natürlich.« In Russland ist es eine Frage der Ehre, welchen Wodka man trinkt. Dissertationen werden zu dem Thema verfasst, Abende und Nächte werden mit hitzigen und gestenreichen Wodkaqualitätsdebatten verbracht, es sind schon Freundschaften darüber zerbrochen. Seit der Kapitalismus in Russland Einzug gehalten hat und die Wodkasorten und -marken sich fast täglich vermehren, ist auch die Frage selbst sehr viel komplexer geworden.

Wie die meisten neureichen Russen ist auch Peter ein überzeugter »Standard«-Verfechter. Ein guter Wodka, so sagt man, riecht nicht und schmeckt nicht.

Diese Meinung, die auch Peters ist, findet bei meiner Familie mütterlicherseits volle Unterstützung. Die andere, väterliche Seite schnaubt verächtlich und führt dann wortreich aus, dass »Standard« nicht nur völlig überteuert, sondern auch total überbewertet sei. Dort schneidet man lieber kleine Gurkenstückchen oder Peperoni in den billigeren Wodka, um den starken Geschmack zu neutralisieren, und veredelt ihn dadurch auf Datschaart.

Peter ist »Standard«-Verehrer aus Erfahrung.

»Peter, would you like some Vodka?«, fragte der Mann meiner Cousine ihn jeden Abend bei unserer ersten gemeinsamen Reise nach Petersburg. Ljonja, so sein Name, sprach nicht viel Englisch, meistens musste ich die Gespräche übersetzen. Es ist übrigens nicht leicht, in meiner Familie zu übersetzen. Während meine Cousine unbedingt erfahren wollte, was Peter von dem neuen Buch von Salman Rushdie hielt, meine Tante ihn dahin gehend erziehen wollte, dass Heiraten eine gute Sache sei, mein kleiner Neffe wahlweise Fangen oder Huckepack tragen spielen wollte und ich allen gleichzeitig zu antworten beziehungsweise Peter zu übersetzen versuchte, fragte der Mann meiner Cousine pünktlich wie eine Uhr alle dreißig Minuten: »Peter, would you like some Vodka?«

Peter sagte immer »ja«. Nach ein paar Tagen antwortete er sogar mit dem russischen »da«. Manchmal trank er dann allein. Manchmal stellte der Mann meiner Cousine die Frage, während wir erst mit dem Kochen begannen. Peter sagte ja und wunderte sich zwei Stunden später, warum er als Einziger angetrunken war. Niemals fangen Russen vor dem Essen mit dem Trinken an. Niemals trinken Russen ohne Grund.

»Peter, would you like some Vodka?«

Die Frage schweißte die beiden Männer zusammen. Zum Abschied schenkte Peter dem Mann meiner Cousine die größte »Standard«-Flasche, die wir in Petersburg auftreiben konnten, und schrieb darauf: »Ljonja, would you like some Vodka?«

Deshalb ist er also sofort eifersüchtig, als ich sage: »Ljonja hatte natürlich ›Standard‹ da und hat Jost immer wieder nachgeschenkt.«

»Was hat denn Ljonja zu Jost gesagt?«, erkundigt sich Peter. (Im Hintergrund: Jost trällert »Kalinka, malinka«.)

»Was soll er denn gesagt haben?«

»Wie hat er den Wodka Jost angeboten?«, fragt Peter.

Ob es meine Familie wohl beruhigen würde zu erfahren, dass Peter eifersüchtig ist? Auch wenn's nicht meinetwegen ist?

Ljonja ist natürlich nicht fremdgegangen. Für Peter hatte er als Geschenk »Standard«-Gläser vorbereitet und auf die Packung geschrieben: »Peter, would you like some Vodka?« Aber Jost goss er den Wodka einfach ein, ohne groß zu fragen. Weshalb ich mich jetzt an russischen Volksweisen erfreuen darf. Es gibt ja Menschen, die macht Alkohol müde. Jost gehört leider nicht dazu.

Ob es stimmt, dass Russen viel Wodka trinken, werde ich in Deutschland oft gefragt. Meistens, nachdem ich diesen ohne offensichtliche Konsequenzen in mich hineinschütte. Ob ich deshalb jeden unter den Tisch trinken kann, weil es in den Genen liegt, will man in Deutschland wissen.

Es stimmt, und es stimmt nicht. Wahr ist, dass in Russland viel Wodka getrunken wird. Statistisch gesehen trinkt jeder Russe fünfzehn Liter Wodka im Jahr. Unwahr ist, dass alle Russen trinken. Viele Frauen zum Beispiel trinken gar nicht. Und unwahr ist vor allem: Russen saufen. Allein das Wort lässt sich kaum ins Russische übersetzen. Wodka trinken um des Trinken willens ist in Russland verpönt und gilt als Zeichen des Alkoholismus.

Russen trinken Wodka. Sie tun es aber auf eine ästhetisch schöne, ja, fast schon poetische Weise. Sie tun es nicht, um »gut drauf zu sein«, sie werden nicht lustig und nicht verrückt. Sie werden melancholisch. Gerne diskutieren sie dann über Philosophie und trauern ob der Sinnlosigkeit dieses Daseins.

Sankt Petersburg, Wohnung meiner Cousine, 0.32 Uhr, zwei leere »Standard«-Flaschen:

»Das hat doch schon Nietzsche festgestellt, dass der Mensch so ist. Wann war das, 1884 ungefähr?«, fragt meine Cousine.

»Und trotzdem kannst du das nicht auf die gesamte heutige Welt übertragen. Wenn du dir zum Beispiel die Dritte Welt anschaust, Afrika ...«, unterbricht sie ihr Mann.

»Apropos Afrika, ich habe gerade heute in der Metro gelesen ...«, erzählt meine Tante, denn es gibt kein Thema, zu dem sie nicht heute in der Metro etwas gelesen hat.

»Lena, es ist alles so verschwommen!«, beklagt sich Jost.

Ich schweige. Ich bin endlos traurig angesichts der Verderbtheit dieser Welt. Es wird niemals Gerechtigkeit geben!

Die Russen trinken schön. Nicht um des Trinkens, sondern um der Schönheit und der Freundschaft willen. Sie trinken nur zum Essen und nur mit guten Freunden. Sie führen schöne Gespräche und zeigen sich ihre Zuneigung. Kater haben in Russland nur Alkoholiker und Wodka-Nichtkenner: diejenigen, die den falschen trinken.

Ich habe keine Wodka-Gene. Ich halte mich einfach an die Regeln. Ich beginne den Abend mit Wodka und beende ihn damit. Nicht einmal eine Schnapspraline kommt mir dazwischen. Kein Bier, kein Wein. Reiner russischer Wodka. Und ich esse nach. Viele Russen sind der Meinung, dass die russische Sprache um ein Vielfaches reicher und schöner ist als die deutsche (und alle anderen Sprachen der Welt). Ich kann nicht sagen, ob das stimmt. Ich weiß nur, dass ein Wort in der deutschen Sprache auf jeden Fall fehlt: Nachessen. Ein überlebenswichtiges Wort, ähnlich wie SOS. Nachessen. Kein Schluck Wodka ohne einen Bissen Essen. Man trinkt den Wodka zum Essen, und wenn dieses vorbei ist, kommen Sakuski (»Nachessenchen«) auf den Tisch. Salzgurken. Eingelegte Pilze. Belegte Brote. Meinetwegen Chips. Aber ohne trinkt ein Russe nicht.

Ich habe Jost geschult. Jahrelanges Training hat ihn auf diese Reise vorbereitet. Auf Partys in Deutschland haben wir die Konzentration auf Wodka als einziges Abendgetränk und das Nachessen geübt. Luft anhalten, auf Ex trinken, tief ausatmen, essen. Ich bin stolz auf meinen Schüler.

Was wir nicht geübt haben, sind die Toasts. Allerwichtigste Regel beim Wodkatrinken sind nämlich die Toasts. Fälschlicherweise glaubt man in Deutschland, dass das russische Prosit »Na sdorowje« heißt. Einmal wurde mir auf einem amerikanischen Oktoberfest in New Jersey »deutsches« Sankt-Pauli-Girl-Bier angeboten, auf dessen Etikett ein Schwarzwaldmädel in Tracht prangte. Ähnlich fühle ich mich, wenn man zu mir »Na sdorowje« sagt. Erstens ist der Ausdruck nicht russisch, sondern polnisch. Zweitens ist es überhaupt kein Toast.

Denn, erste Regel: Toasts müssen emotional sein. Zweite und dritte Regel: Sie müssen emotional sein. Vierte Regel: Sie müssen lang sein. Fünfte Regel: Das Wort »Liebe« muss darin vorkommen. Wenn man es dann noch schafft, die Mittrinkenden nicht nur zum Weinen, sondern auch zum Lachen – am besten zu Tränen – zu bringen, hat man sich die russische Staatsbürgerschaft bereits verdient.

Das alles habe ich Jost mehrmals ausführlich erzählt. Allerdings: Toasts zu erklären, ohne dabei Wodka zu trinken, ist ähnlich schwierig, wie jemandem Fahrradfahren beizubringen ohne Rad.

Am ersten Tag sagt Jost, nachdem mein Cousin zuvor beispielhaft nicht nur unsere gemeinsame Petersburger Kindheit, die unzertrennlichen Familienbande, sondern auch eine Erinnerung an meine Geburt in seinen Toast eingebaut hat: »Ich freue mich sehr, hier zu sein. Ich freue mich, dass Lena mir ihre Stadt zeigen und ihre Familie vorstellen wird. Auf die zwei Wochen mit euch, die bestimmt ganz wundervoll werden!« Anerkennendes Kopfnicken.

Am zweiten Tag sagt Jost: »Ich bin jetzt schon so begeistert von der Stadt und von Lenas Familie, dass ich mir sicher bin, wenn ich allen Freunden von Lena und Peter davon erzähle, werdet ihr keine Ruhe mehr haben, weil sie alle hierher kommen und euch besuchen. Auf euch!« Besonders schlauer Schachzug: Er hat Peter in seinen Toast eingebaut, denn wir arbeiten immer noch daran, mögliche Gerüchte über eine Affäre zwischen Jost und mir auszuschalten. Als wir Bilder der Familie in Deutschland zeigen sollten, haben wir auch ein paar untergeschoben, auf denen Peter und Jost (nach ein paar Gläsern Wodka) Arm in Arm dasitzen. Anerkennendes Lächeln nach dem Toast.

Nach einer Woche sagt Jost: »Ich werde es kurz machen.« Er steht auf und hält sein Glas in die Höhe. »Mein Glas ist leer, aber mein Herz ist voll. Voll von Liebe zu euch.« Alle Tanten weinen und murmeln leise: »Einer von uns!«

Am vorletzten Tag wird er ganz mutig. Er spricht von den historischen Beziehungen zwischen Russland und Deutschland, auch von den Kriegen, davon, wie viel es für ihn bedeutet, dass wir jetzt alle so herzlich und gemütlich in Russland an einem Tisch sitzen können. Mein Onkel, der als Kleinkind die deutsche Blockade um Petersburg während des Zweiten Weltkriegs überlebt hat, wischt sich möglichst unauffällig eine Träne aus dem Augenwinkel. Russische Männer weinen nie.

Am letzten Tag lautet Josts letzter Toast: »Zwei Wochen war ich nun hier. Die Stadt ist wunderschön. Mir hat sie wahnsinnig gut gefallen. Mich haben die Paläste beeindruckt und die Brücken. Die Eremitage hat mich umgehauen. Wie ihr wisst, war ich ganz begeistert vom Ballett. Aber das Allerschönste an dieser Stadt ist die Gastfreundschaft der Menschen hier! Danke dafür! Auf euch!«

Worauf mein Cousin antwortet: »Die Gastfreundschaft hängt immer von den Gästen ab!« Und nun fange ich an zu heulen.

Russisch Wodka zu trinken ist schön.

Sankt Petersburgs einzig wahre Kultur

Dass Moskau nicht Petersburg ist, weiß jedes Kind. Dass Petersburg schöner, interessanter und einfach toller ist als Moskau, sollte ebenfalls zur Allgemeinbildung gehören, tut es aber leider außerhalb Petersburgs nicht.

»Jost, ist es dein erstes Mal in Russland?«, fragen meine Verwandten.

»Nein, ich bin vor Jahren schon mal hier gewesen. In Moskau damals. Aua!« Er reibt sich das Schienbein.

»In Moskau?«, fragen meine Verwandten und halten den Atem an.

»Ja, in Moskau. Hat sich so ergeben. Ich war mit einer Hilfsaktion da. Ich wäre natürlich lieber nach Petersburg gefahren. Moskau lässt sich überhaupt nicht mit dem vergleichen, was ich hier gesehen habe«, erklärt Jost, obwohl es unser erster Tag ist und er außer dem Flughafen, dem Bus, der Metro und der Wohnung meines Onkels noch nichts gesehen hat. Wir haben diesen Satz im Flugzeug immer wieder geübt.

Erleichtert fangen meine Verwandten wieder zu atmen an. Jost reibt sich immer noch das Schienbein.

Petersburg ist schöner als Moskau, das ist doch klar. Moskau ist ein Dorf, ein riesengroßes Dorf. Mittlerweile ist es ein Dorf voll schwerreicher Neurussen, die Luxuswohnschlösser mitten in der Stadt bauen lassen, aber ein Dorf bleibt ein Dorf. Petersburg, das ist Kultur. Petersburg ist der Sitz der Intelligenzija. Petersburg ist das wahre Russland, eigentlich die schönste Stadt der Welt. Dass die Moskauer etwas anderes behaupten und mit ihren paar Theatern und Museen angeben, zeigt einmal mehr, dass sie nicht zur Intelligenzija gehören.

Peter sagte vor ein paar Jahren, irgendwann einmal würde er schon auch gerne Moskau sehen. Kurz dachte ich damals über eine Trennung nach.

Die Rivalität beider Städte ist so alt wie Petersburg selbst, schon Gogol und Dostojewski haben Abhandlungen darüber verfasst. Dass Peter der Große Anfang des 18. Jahrhunderts das prächtige europäische Petersburg wider alle guten Ratschläge aus den Sümpfen der Newa stampfen ließ, haben die Moskauer ihm nie verziehen. Daran, dass diese strategisch schlecht gelegene Stadt 1712 zur Hauptstadt erklärt wurde, knabbern sie bis heute. Wie es geschehen konnte, dass nach dem Tode Lenins die politische Bedeutung Moskaus so anwachsen konnte, dass das Dorf wieder Hauptstadt wurde, haben die Petersburger bis heute nicht verstanden.

Man mag Putin vieles vorwerfen – Diktatur, Oppositionsunterdrückung, mangelhafte Vorstellung von Demokratie –, aber als echter Petersburger versteht der Mann, was Schönheit ist. Weshalb er Petersburg gerne wieder zur Hauptstadt machen würde. Eine der wenigen guten Ideen seiner Amtszeit.

Sankt Petersburg ist Kultur. Wer etwas anderes behauptet, ist kein Petersburger. Bereits ein paar Wochen vor unserer Anreise will meine Cousine wissen: »Was wollt ihr denn alles sehen, wenn ihr hier seid? Ich kann euch schon mal Karten besorgen.«

»Was wollen wir denn alles in Petersburg sehen?«, frage ich Jost.

»Wie? Na ja, Petersburg eben. Die Eremitage, die Brücken, was man sich eben so anschaut in Petersburg«, antwortet der Ahnungslose.

»Nein. Was wir alles auf der Bühne sehen wollen, will sie wissen.«

»Auf der Bühne?«

»Ja. Wir haben doch die besten Theater, Opern-, Balletthäuser, Philharmonien ...« Meistens meine ich »wir Deutschen«, wenn ich von »uns« spreche. Es gibt aber Situationen, da ist es nett, sich ganz als Petersburgerin zu fühlen.

»Ich möchte in den Zirkus!«, sagt Jost.

Das ist sowieso klar. Ich gehe jedes Mal in den Zirkus, wenn ich in Petersburg bin. In den richtigen Zirkus, der nicht ständig um die Welt tourt, sondern, seit ich denken kann, in dem von Zauber und Magie umwehten rosafarbenen Gebäude an der Fontanka untergebracht ist. (Seit meiner Kindheit ist das Gebäude zwar geschrumpft, und in die Manege werde ich von den Clowns trotz heftigen Winkens und Wedelns mit beiden Armen auch nicht mehr gebeten, aber zauberhaft ist der Zirkus trotzdem.) Dass der russische Staatszirkus mit den noch besseren Akrobaten, Dompteuren und Clowns übrigens in Moskau sitzt, wird in

Petersburg höchstens im Flüsterton zugegeben. Irgendwas muss man den Moskauern ja lassen.

»Klar gehen wir in den Zirkus«, antworte ich Jost. »Und was wollen wir sonst noch sehen?«

»Vielleicht eine Ballettaufführung«, schlägt Jost vor.

Als könnte ich das so zu meiner Cousine sagen: »Wir wollen uns ein Ballett ansehen.« Ich muss mindestens den Choreografen und ein paar der Tänzer benennen, und wir sollten schon im Vorfeld über die Inszenierung diskutieren können. Jeder ist hier glänzender Feuilletonist.

Der Einfachheit halber sage ich: »Wir wollen ins Mariinski-Theater. So etwas hat Jost noch nie gesehen.« Der blau-weiß-golden verzierte Mariinski-Theatersaal ist einer der romantischsten Theatersäle der Welt. Allein die Zarenloge, die mittlerweile von den Gästen großer russischer Ölunternehmen in Beschlag genommen wird, hat mehr Geld gekostet als so mancher Theaterbau in Europa. Ein Besuch im Mariinski ist Theater- und Museumsbesuch in einem.

»Natürlich muss Jost das Mariinski sehen!«, ruft meine Cousine aus. Wir Petersburger sind so stolz darauf, als hätten wir es eigenhändig erbaut.

»Letztens haben wir dort *Die Möwe* in der Choreografie von Eifman gesehen. Was hältst du von ihm?«, fügt meine Cousine hinzu.

Sie kann nichts dafür, sie ist so aufgewachsen. Sankt Petersburg ist Kultur.

Bereits mit fünf Jahren besaß ich nicht nur ein Abonnement fürs Kindertheater, sondern auch für zwei Opern- und Balletttheater sowie die Philharmonie. Während meine späteren deutschen Freunde im Fußballverein einem Ball hinterherjagten, wurde ich zu einer Kinderringvorlesung über die französische Kunst des 17. Jahrhunderts in die Eremitage gebracht. Jeden Sonntag fuhr mein Vater mit mir und meiner besten Freundin in ein Museum oder zu einer thematischen Stadtführung. Unser Liebstes war die Kunstkammer, die trotz des irreführenden Namens ein Volkskundemuseum ist. Wie jedes andere Kind Petersburgs zogen wir meinen Vater ungeduldig und zielsicher an den Masken, Kostümen und Geräten vorbei zu den anatomischen »Monstern« wie zum Beispiel missgestalteten Embryos, die vom für seine sonderbaren Hobbys berühmten Peter dem Großen gesammelt worden sind. Mehrere Stunden in aller Herrgottsfrühe stand meine Mutter in einer Schlange, um Karten für eine Bootstour unter den kunstvoll gestalteten Brücken mit den aufwendigen schmiedeeisernen Geländern hindurch für uns zu ergattern. Manchmal warf meine Tante meinen Eltern dennoch vor, sie würden nicht genug für meine Bildung tun.

Jost und ich sind im Juni in Petersburg. Im August ist das Ensemble des Mariinski-Theaters auf Tournee. In Moskau wahrscheinlich, damit die auch mal richtige Kultur zu sehen bekommen.

»Ich muss dir was Schlimmes sagen«, sagt meine Cousine am ersten Abend mit einem Gesicht, dass ich mir Sorgen mache, irgendjemand sei gestorben, und diese Nachricht sei bislang vor mir verschwiegen worden. Ach herrje, wer denn bloß?

»Was ist los?«, fragt Jost, der nichts versteht, aber das Gesicht meiner Cousine sieht.

»Ich habe ganz vergessen, dass das Mariinski ab Juni geschlossen hat. Ich habe euch Karten für *Schwanensee* im Alexandrinski besorgt. Die Choreografie ist natürlich nicht so gut wie die von …«, erklärt meine Cousine.

»Was ist los?«, will Jost noch einmal wissen.

»Wir haben keine Karten fürs Mariinski bekommen«, erkläre ich, während meine Cousine sich darüber auslässt, dass die Schwanentänzerin in der dritten linken Reihe nicht zu vergleichen ist mit der aus der *Schwanensee*-Aufführung im Mariinski vor drei Jahren …

»Na und?«, sagt Jost. Das übersetze ich lieber nicht.

»Ihr geht natürlich auch ins Theater«, stellt die Familie väterlicherseits am nächsten Abend fest. »In welche Aufführungen denn?«

Ich erzähle von *Schwanensee.*

»Gut, gut«, sagt mein Onkel. »Es ist natürlich nicht das Mariinski …«

Natürlich ist Jost begeistert von *Schwanensee.* Wie kann man auch nicht begeistert sein? Mit die besten Tänzer und Musiker der Welt (aber, wie gesagt, nicht die besten Petersburgs, die sind ja gerade in Moskau) sind auf der Bühne und im Orchestergraben. Er ist ebenfalls hin und weg von dem Theater, den kunstvoll vergoldeten Logen. Ich bin begeistert von der Tatsache, dass es in der Pause – wie in meiner Kindheit – Kaviarkanapees zu kaufen gibt. Ich bin jetzt auch groß genug, um ein Glas Sekt dazu zu trinken. Trotzdem nehme ich lieber Limonade, so wie damals.

»Es ist natürlich nicht das Mariinski …«, sage ich, an meinem Kaviarbrot kauend.

»Wie war *Schwanensee*?«, fragt meine Cousine am nächsten Tag.

Jost setzt zu seinem Loblied an, das er schon Peter am Telefon gesungen hat.

»Es ist natürlich nicht das Mariinski …«, hatte Peter gesagt.

»Es ist natürlich nicht das Mariinski«, sagt auch meine Cousine.

Zurück in Deutschland, veranstalten Jost und ich einen russischen Abend für Peter, meine Familie und Freunde. Wir bereiten russischen Kartoffelsalat zu und langweilen die anderen mit zu vielen Fotos, die wir per Beamer an die Wand werfen.

»Da waren wir in *Schwanensee*«, erzählt Jost, als das erste blau überbelichtete Bild aus dem Theater an der Wand erscheint.

»In welchem Theater wart ihr denn?«, unterbricht meine Mutter.

»Es war natürlich nicht das Mariinski …«, meint Jost.

Abenteuerurlaub Metro

Die Metro. Die Petersburger Metro ist die tiefste Metro Europas. Um grenzenlose Bewunderung wird gebeten. Jost macht das gut. Jost steht auf der Rolltreppe, schaut hinunter und sagt unaufgefordert: »Die hört ja gar nicht auf!« Und drei Minuten später: »Die hört ja immer noch nicht auf!«

Menschen packen ihre Bücher aus und lesen sie, auf der Rolltreppe stehend – Jugendliche auch sitzend –, weil die Fahrt so lange dauert. Manche Metrostationen sind wie unterirdische Paläste ausgebaut. Gut, in Moskau vielleicht noch mehr als in Petersburg, aber das braucht hier nicht weiter erwähnt zu werden. Wichtig ist, dass Petersburg eine der wenigen Städte der Welt ist, wo es sich lohnt, Stationen öffentlicher Verkehrsmittel anzuschauen und zu fotografieren! So! Außerdem ist zum Thema öffentliche Transportmittel noch anzumerken, dass in Petersburg sechshundert Kilometer Trambahnschienen verlegt worden sind, was im *Guinness-Buch der Rekorde* steht. Meinen Schätzungen nach sind etwa fünfhundert davon heute kaputt.

Die russische Metro ist, vor allem zu den morgendlichen Stoßzeiten, ein Anschauungsbeispiel des reinen Darwinismus. Der Kampf beginnt bereits beim Eintreten in die Station, wo es sehr wichtig ist, die Schwingtür dem Nächsteintretenden so ins Gesicht zu hauen, dass er möglichst zahnlos zurückbleibt. Beim Einsteigen in den Zug ist es dann überlebensnotwendig, niemanden aussteigen zu lassen, bevor man sich selbst in den Wagen gedrängt hat. Im Zug selbst können Buddhismus und Yoga sehr behilflich sein: Tief ein- und ausatmen und alles mit sich geschehen lassen. Sich von der Menge mit hineintragen lassen. Sich erdrücken und in die Höhe heben lassen. Und immer schön tief ein- und ausatmen dabei. Sind Russen zu mehreren in der Metro unterwegs, verabreden sie gewöhnlich im Vorhinein, was zu tun ist, wenn einer von ihnen unfreiwillig aussteigen muss. Was durchaus häufig passiert. Wird man von der Menge hinausgedrängt und schafft es nicht mehr rechtzeitig zurück, ist es hilfreich, zu wissen, ob die Freunde an der nächsten Station auf einen warten oder bis zur geplanten Endhaltestelle fahren.

Das alles schärfe ich Jost ein. Ich weise ihn weiterhin an, in der Metro besonders russisch zu gucken. Lernen kann er den Blick am besten von den Metrofrauen. Die Metrofrauen sitzen, gekleidet in blaue Uniformen und Militärmützen und in Glashäuschen eingeschlossen, am Fußende einer jeden Rolltreppe und haben nichts weiter zu tun, als den lieben langen Tag die Rolltreppe zu beobachten. Was sie im Notfall können, oder für welche Notfälle sie zuständig sind, wissen wahrscheinlich nicht einmal sie selbst. Zeitung lesen oder telefonieren dürfen sie nicht. Zahnstochern sieht man sie auch nur selten. Sie dürfen sich die Rolltreppe anschauen, den ganzen lieben Tag lang. Dementsprechend glücklich sind ihre Gesichter. Dieser Blick öffnet einem in Russland Türen.

Jost ist ein Naturtalent, eine verkappte russische Rolltreppenbeaufsichtigerin. Jost ist so gut, dass wir eine Menge Geld sparen. Nach wie vor gelten in russischen Museen und Theatern unterschiedliche Preise für Ausländer und Einheimische. Dabei müssen ausländische Touristen teilweise die dreifache Summe bezahlen. Als ich mit Peter in Petersburg war, kauften meine Verwandten und ich, laut miteinander auf Russisch diskutierend, alle Eintrittskarten, einschließlich der für Peter. Um der höheren Glaubwürdigkeit willen sagte ich manchmal möglichst laut auf Russisch zu ihm: »Kommst du?«, was er immer mit einem akzentfreien »da« beantwortete. Es funktionierte zehn Tage lang wunderbar. Dann gingen wir ins Theater.

Im Theater kauften wir ein Programmheft, leichtsinnig, wie wir waren: auf Englisch. Meine Cousine und ihr Mann hatten bereits den Zuschauerraum betreten, während Peter und ich noch bezahlten.

»Sie haben aber russische Karten. Wieso brauchen Sie dann ein englisches Programmheft?«, wollte die Verkäuferin plötzlich wissen.

»Ähm …«, sagte ich.

»Sind Sie vielleicht gar keine russische Staatsbürgerin?«

»Doch, natürlich!«, rief ich empört. Stolz zog ich meinen russischen Pass aus der Tasche. »Wie können Sie mir das nur unterstellen? Das ist ja eine Beleidigung!«, empörte ich mich und schüttelte entrüstet den Kopf. Gut, vielleicht trug ich ein bisschen zu dick auf.

»Und was ist mit dem jungen Mann? Ist er russischer Staatsbürger?«, fragte die Dame, die doch eigentlich nur Programmhefte verkaufen sollte. War sie früher mal beim KGB gewesen? War sie heute noch dort?

»Der ist auch russischer Staatsbürger!«

»Und kann er selbst nicht sprechen?«

»Ähm …«, begann ich. Peter schaute so russisch wie möglich drein.

Inzwischen war meine Cousine zurückgekehrt, um nach uns zu sehen.

»Was ist hier los?«, fragte sie in dem Ton, der sonst für meinen Neffen reserviert ist, wenn der nicht schlafen gehen will.

»Hier ist ein junger Mann, der wollte mit einer russlandbürgerlichen Karte hinein, dabei ist er Ausländer!«, erklärte die Spitzelfrau empört.

»Wer, er hier?«, fragte meine Cousine und legte dann los. »Das? Das ist mein Cousin aus Nowgorod. Der ist nur ein Wochenende in Petersburg! Wir wollten ihm die schönen Seiten der Stadt zeigen! Und was machen Sie? Sie unterstellen ihm, betrügen zu wollen? Das soll Petersburger Intelligenzija sein? Wir sind hier im Theater! Wie benehmen Sie sich eigentlich? Was für ein Bild soll er von Petersburg bekommen?« Sie zog Peter und mich, das englische Programmheft in der Hand, entschlossen in den Zuschauersaal. »Da«, fügte Peter noch geistesgegenwärtig hinzu.

Jost und ich perfektionieren das Theaterstück. In der Eremitage-Schlange zum Beispiel macht Jost sein perfektes russisches Gesicht, während ich die keifende Ehefrau spiele und ihm ausführlich und nicht zu leise auf Russisch erkläre, warum er nicht in einem solchen Ton mit meiner Mutter sprechen darf. Wie ein richtiger russischer Ehemann – und die sind sehr schweigsam – sagt Jost kein Wort zu seiner Verteidigung. Sein Job: russisch gucken. Kurz bevor wir die Kasse erreichen, drücke ich professionell wie ein Geheimagent in meiner Jackentasche auf ein paar Handytasten, sodass Josts Telefon klingelt. Er meldet sich mit einem russischen »da?«, winkt mir kurz und geht ein paar Schritte von der Schlange weg, um in Ruhe telefonieren zu können.

Als ich dran bin, bitte ich in meinem besten Russisch um zwei Karten und bekomme den russischen Preis genannt.

»Wanja, wo bist du?«, frage ich genervt nach hinten und schaue mich nach Jost um, der natürlich nicht reagiert.

»Immer sind sie nicht da, wenn man sie braucht! Heute ist Wochenende, und trotzdem telefoniert er. Oh, wie ich dieses Telefon hasse! Ich weiß gar nicht, ob ich Geld dabeihabe!«, klage ich der Kassiererin mein Leid, während ich in meiner Tasche nach dem Portemonnaie krame. Auf diesen Part des Schauspiels bin ich besonders stolz: Hätte ich von Anfang an selbst bezahlen wollen, hätte ich uns als Ausländer verraten. Russische Männer mögen nicht besonders gesprächig sein, aber bezahlen müssen immer sie. Und Blumen bringen sie ihren Frauen auch wöchentlich mit.

Die Dame hinter der Kasse nickt für russische Verhältnisse äußerst verständnisvoll und voller weiblicher Solidarität und schiebt mir die billigen Karten zu. Wir beherrschen das Schauspiel so perfekt, dass wir es an der zweiten Kasse gleich noch mal aufführen, um billige Karten für ein nettes deutsches Architektenpärchen zu besorgen, die wir kurz vorher kennengelernt haben. Vielleicht sollten wir uns selbstständig machen.

Einmal ist Jost ohne mich unterwegs. Ich gehe mit meinem kleinen Neffen in die Kunstkammer, damit wir die missgestalteten Embryos bewundern können. Jost will nicht mit, weil er Angst hat, davon Albträume zu bekommen.

»Wie lange müssen wir in der Schlange stehen?«, quengelt der Kleine, sobald wir dort sind. Süß, wie Kinder eben so sind.

»Ihr müsst gar nicht anstehen. Wenn ihr hundert Rubel habt«, antwortet ein langhaariger Jugendlicher, der plötzlich aus dem Nichts auftaucht.

Der Kleine und ich sehen uns an. Klar haben wir hundert Rubel, umgerechnet etwa drei Euro.

»Geht einfach nach vorne. Fragt nach Julija!«, weist er uns an, nachdem ich bezahlt habe.

In der Nähe der Kasse frage ich nach Julija. Julija entpuppt sich als eine fünfzehnjährige Blondine, die vorne in der Schlange steht und zu mir sagt: »Tante Katja, endlich bist du da! Wie lange kann man denn die Toilette suchen? Wir sind gleich dran!«

Zu dem Kleinen flüstert sie: »Wie alt bist du? Gehst du schon zur Schule?«

»Ja, in die erste Klasse«, antwortet der etwas zu laut; auf diese Information ist er sehr stolz.

»Heute bist du ein Kindergartenkind!«, entscheidet Julija und zwinkert mir zu: »Ist billiger für Sie.«

Mittlerweile ist der Junge in der Schlange nach vorne gerückt, während Julija nun hinten steht und andere Ungeduldige zu ihm nach vorne schickt. Wir sind also ohne Schlangestehen im Nu im Museum gelandet, wo wir zügig an den volkskundlichen Kostümen vorbeiziehen, um dann in Ruhe zweiköpfige und vierbeinige Embryos in Flaschen zu bewundern. Und haben immer noch genügend Zeit, später genüsslich Kuchen zu futtern, bevor wir mit Jost verabredet sind.

Jost kommt zu spät zu unserem Treffpunkt. Er hatte beschlossen, eine kleine Bootsfahrt über die Kanäle Petersburgs zu machen, die der Stadt den Namen »Venedig des Nordens« eingebracht haben. Ein netter Bootsführer hatte ihm erklärt, einen so guten Preis für fünfundvierzig Minuten Fahrt würde Jost nirgendwo sonst in dieser Stadt kriegen. Jost war zufrieden eingestiegen. Nach etwa zehn Minuten hatte Josts persönlicher Stadtführer kurz das Boot angebunden, weil er ganz schnell Zigaretten holen wollte, wie er Jost in Zeichensprache erklärte. Nach dreißig Minuten kam er zurück und fuhr Jost schweigend zur Anlegestelle zurück. Bei der Bezahlung, der sich Jost eigentlich komplett verweigern wollte, aber sich dann doch nicht traute, nahm der Bootsfahrer einen etwas anderen Währungskurs zu Hilfe als die Banken: Den Preis hatten die beiden in Dollar ausgemacht, Jost wollte aber mit Rubel bezahlen.

An der Anlegestelle sah Jost eine Bushaltestelle. Irgendwie gelang es ihm, ohne Russischkenntnisse herauszufinden, dass der Bus zu einer Metrostation fuhr. Stolz auf sein Verständigungstalent, wurde er übermutig und versuchte, sich zu erkundigen, wann denn der nächste Bus käme. Er erntete Gelächter. In Russland kommt der Bus, wann er kommen will. Wenn der Busfahrer Mittag essen oder seine Geliebte besuchen will, kommt er vielleicht mehrere Stunden lang nicht.

Mithilfe von Händen und Füßen erklärten ihm aber die anderen Wartenden, immer noch kichernd, dass die Metrostation ganz in der Nähe sei. Jost beschloss zu laufen, ist gesünder und schöner. Er lief eine Dreiviertelstunde, innerhalb derer er zweimal in die falsche Richtung geschickt wurde, denn nichts ist schlimmer für einen russischen Mann, den man nach dem Weg fragt, als zuzugeben, dass er diesen nicht kennt. Immer hieß es, die Metrostation sei ganz in der Nähe. In der Nähe ist in der Fünfmillionenstadt eigentlich alles. Wenn man nur eine Dreiviertelstunde mit der Metro fahren muss, heißt es, man wohne gleich um die Ecke. An der Metrostation angekommen, musste Jost erst einmal die kyrillischen Buchstaben der Metrostation, die ich ihm auf einen Zettel gekritzelt hatte, mit denen auf dem Metroplan vergleichen. Als er eine halbe Stunde zu spät bei uns eintraf, umarmte er mich so lange und so fest wie nie zuvor (und nie wieder danach).

Mein Cousin väterlicherseits sagt auch, er wohne gleich um die Ecke von meiner Cousine mütterlicherseits. Er kann auch gar nicht verstehen, warum wir schon wieder – bereits zum zweiten Mal – bei ihr essen und nicht bei ihm. Weshalb er mich den ganzen Abend auf dem Handy anklingelt, um mich daran zu erinnern, schneller zu essen, weil unser zweites Abendessen auf uns wartet. Es lässt sich aber nicht schneller essen, wenn man gleichzeitig Gespräche über Nietzsche führen, dieselben ins Deutsche übersetzen, sich mit seiner Tante über ihrer Meinung nach unpassende Frisuren streiten und parallel dazu mit seinem Neffen Brettspiele spielen muss.

»Warum ruft er dich denn ständig an?«, fragt meine Cousine.

Von dem zweiten Abendessen kann ich ihr schlecht erzählen.

Als wir gegen elf angetrunken und müde das Haus verlassen, wollen sowohl Jost als auch ich nur noch nach Hause und ins Bett.

»Wie, ihr kommt nicht mehr hierher?«, fragt mein Cousin, als ich ihn anrufe, um abzusagen. »Wir haben das Essen warm gehalten. Wir haben deinen Lieblingskuchen besorgt. Und Salzgurken, die Jost so gut geschmeckt haben. Die Kleine darf aufbleiben, um euch zu sehen!«

»Okay, wir sind auf dem Weg!«, gebe ich nach. »Wir müssen doch hin«, erkläre ich Jost.

»Was? Nein! Du wolltest nein sagen! Wir brauchen von dort länger als anderthalb Stunden nach Hause. Ich bin k.o.!«

»Dann ruf du ihn an. Sag du es ihm.«

»Klar, kein Problem!«, antwortet Jost. »Du lässt dich immer so weichklopfen von deiner Familie.« Ich gebe Jost das Handy.

Ich höre ihn »Hallo« sagen und auf Englisch erklären, dass es leider nichts mehr wird mit dem Besuch. Dann sagt er lange nichts, dazwischen ein paar Mal »okay«.

Nachdem er aufgelegt hat, sagt er zu mir: »Wir müssen doch hinfahren. Sie stehen schon alle draußen, samt der Kleinen, und warten auf uns. Aber dein Cousin sagte, es sei ganz in der Nähe.« Ganz in der Nähe heißt, man muss eine Trambahn nehmen und zwei verschiedene Busse und dann noch eine Viertelstunde durch einen dunklen Park laufen. Mein Cousin sagte auch, wir sollen uns »ein Taxi fangen«.

Wir stehen also an einer Ecke zweier sechsspuriger Straßen und warten mit erhobenen Fingern auf ein Taxi. Innerhalb von zwei Minuten hält ein Auto an, ein alter weißer Moskwitsch. Ein Taxischild hat es nicht.

»Wohin?«, fragt der Fahrer.

»Wir warten auf ein Taxi«, antworte ich.

»Wohin?«

»Nein, wir wollen ein Taxi.«

»Wie viel?«

»Wir warten auf ein Taxi.«

»Ich bin ein Taxi.«

Ich gehe lieber auf Abstand, ein paar Meter nach vorne. Jost trabt verständnislos hinter mir her.

Der Fahrer fährt uns die paar Meter hinterher, ohne die Tür zu schließen.

»Ey, wohin?«, fragt er noch einmal.

»Wir warten auf ein Taxi«, antworte ich, woraufhin er mir den Vogel zeigt, die Tür schließt und davonrast.

Wir warten auf ein Taxi. Und warten und warten und warten. Ich hoffe nur, dass meine Cousine nicht aus dem Fenster schaut und uns immer noch hier stehen sieht. In regelmäßigen Abständen ruft mein Cousin an, um zu fragen, wo wir bleiben. In regelmäßigen Abständen halten Ladas, Schigulis und Moskwitschs an, deren Fahrer immer »Wohin?« oder »Wie viel?« fragen. Es macht mir Angst.

Gegen Mitternacht sagt mein Cousin, das könne doch gar nicht sein, dass noch kein Auto angehalten hat.

»Zumindest kein Taxi!«, antworte ich. »Wir haben noch nicht einmal eins gesehen!«

Es stellt sich heraus, dass in Russland jedes Auto als Taxi gilt. Man verhandelt den Preis mit dem Fahrer, und der nimmt einen mit. So manche Ärzte und Lehrer, die in Russland von ihrem Gehalt kaum leben können, verdienen sich abends auf diese Weise noch ein bisschen Geld dazu.

Nachdem mein Cousin mir das erklärt hat, fügt er noch hinzu und nennt mich dabei so, wie ich als Kind genannt worden bin: »Lenka, du bist ja keine Russin mehr!«

Über diesen Satz denke ich noch am nächsten Tag nach, als wir durch die Straßen Petersburgs schlendern. Ich möchte meine russische Ehre retten. Ich muss!

Jost hat Probleme ganz anderer Art. Er braucht einen Anmeldestempel in seinem Pass, um ausreisen zu können. Als geübte Reiseführerin schleppe ich ihn in ein teures Hotel anstatt auf ein russisches Amt. Meine Cousine ist damals mit Peters Pass in ein Hotel gegangen, hatte der Rezeptionistin einen Geldschein in die Hand gedrückt und dafür einen Stempel bekommen. Meine Rezeptionistin erklärt uns, dass die Strafen für solche illegalen Hotelanmeldungen härter geworden seien in den letzten Jahren und sie so etwas deshalb nicht machen. In einem Reisebüro könnten wir aber einen solchen Stempel bekommen. Sie schenkt Jost und seinen blauen Augen ihr wohl schönstes Lächeln und zieht unter der Theke einen Gutschein hervor, damit könnte er diesen Stempel in einem bestimmten Büro um die Ecke billiger bekommen. Für nur achthundert Rubel.

Jost, der Frauenheld, wedelt den ganzen Weg stolz mit seinem Gutschein.

Aber dann, kurz bevor wir das empfohlene Reisebüro betreten, fällt bei mir der Groschen. »Warte mal, versteck den Gutschein«, sage ich zu Jost.

»Ihn verstecken? Spinnst du? Ich will doch nicht draufzahlen!«, sagt Jost.

Ich entwende ihm den Gutschein. Obwohl er größer und stärker ist. Und ein Frauenheld.

Ohne zu lächeln, gehe ich auf die Reisebüromitarbeiterin zu. »Wir brauchen einen Anmeldestempel für einen deutschen Pass. Was kostet das?«, frage ich in meinem besten Russisch.

»Dreihundert Rubel«, antwortet sie.

Ich habe meine russische Ehre wieder. So einfach ging das. Stolz rufe ich meinen Cousin bei der Arbeit an, um ihm diese Geschichte zu erzählen. Er versteht gar nicht, was daran so besonders sein soll.

»Ist doch klar, die im Hotel kriegen Prozente, wenn sie beim Abzocken helfen«, sagt er. »Habt ihr den Gutschein etwa nicht sofort weggeschmissen?«

Mythos Nummer Drei: Weiße Nächte

»Ich fahre doch nicht im August nach Petersburg, wenn ich im Juni fahren kann!«, sagt Jost bereits im April.

»Und ich kann nicht im Juni fahren!«, erkläre ich.

»Natürlich kannst du im Juni. Das weiß ich doch. Du willst nur nicht im Juni fahren.«

»Nein, wirklich nicht. Ich habe da was vor.«

»Was willst du denn vorhaben?«, fragt Jost. Klar, mein Leben ist eine Aneinanderreihung sterbenslangweiliger Tage, in denen ich hoffe, Jost würde mit mir nach Petersburg fahren. Was soll ich denn schon vorhaben?

»Peter, hat sie Ende Juni was vor?«, fragt Jost.

»Haltet mich da bitte raus, okay?«, antwortet Peter, ohne von seinem Computer aufzuschauen.

»Siehst du, du hast nichts vor im Juni«, antwortet Jost mit einer unschlagbaren Logik. »Ich will die Weißen Nächte sehen!«

Ich nicht. Was soll das überhaupt heißen? Wie kann man »Nächte« sehen? Nachts schläft man, außer man ist eine Eule. Ich will keine Eule sein.

Jedes Mal, wenn ich erwähne, dass ich in Petersburg geboren bin, kommt spätestens nach Wodka, Kälte und Putin auch der Begriff »Weiße Nächte«. Dabei werde ich verträumt angeschaut. Ich schäme mich immer ein wenig, weil ich zwar viele Erinnerungen an russische Süßigkeiten, aber keine an die Weißen Nächte mitgebracht habe. In meinen ersten elf Lebensjahren in Russland musste ich wohl zu jeder Jahreszeit um eine gesunde Kinderzeit ins Bett.

Weshalb ich, als ich mit Peter zum ersten Mal nach Petersburg fuhr, zu ihm sagte: »Ich fahre doch nicht im August nach Petersburg, wenn ich im Juni fahren kann!«

Die romantische Legende besagt, dass in Petersburg, das so weit nördlich liegt wie der Südteil Alaskas und die Südspitze Grönlands, in den letzten zehn Tagen des Monats Juni die Sonne nicht untergeht. Zwanzig Stunden am Tag ist es hell und sonnig und angenehm warm. Nachts bricht eine leichte, mystische, silbrige Dämmerung über die Stadt herein, der die Weißen Nächte ihren Namen zu verdanken haben. Nachts, in dem geheimnisvoll silbrigen Licht, werden die Brücken über der Newa aufgezogen, damit große Schiffe sie passieren können. In Russland sagt man, die Weißen Nächte seien die Beschützer der Verliebten. Das erklärte ich Peter in einem Ton, der keine Widerrede duldete.

»Die Flüge sind viel teurer …«, murmelte er leise vor sich hin und buchte trotzdem.

Im Flugzeug saßen wir umringt von anderen Paaren, alle auf der Suche nach dem ultimativen romantischen Erlebnis. Paris ist out als Stadt der Liebe!

Bekanntlich ist die längste und damit weißeste Nacht des Jahres die Nacht vom 21. auf den 22. Juni. Diese Nacht wurde unsere weiße Nacht.

Auf dem Rücksitz des Autos meiner Cousine, eingepfercht zwischen Tante und dem nörgelnden Neffen, der sich nicht entscheiden konnte, ob er sich erwachsen oder schläfrig fühlen sollte, fuhren Peter und ich ganz romantisch gegen Mitternacht in das Zentrum der Stadt an die Newa. Die Stadt leuchtete silbern und magisch. Wie Vögel auf einer Stange saßen die Pärchen am Ufer und blickten verträumt aufs Wasser. Sie tranken Dosenbier, das zur Feier der Nacht an jeder Straßenecke verkauft wurde. Wir besorgten uns auch welches. Wir knipsten romantische Bilder mit der glänzenden Newa im Hintergrund. Im Vordergrund des Bildes schnitt mein fünfjähriger Neffe Grimassen.

Gegen zwei Uhr morgens werden die Brücken, eine nach der anderen, feierlich hochgezogen. Wer sich zuvor romantischerweise auf die falsche Seite des Flusses verirrt hat, steht nun vor einem Problem: Er kommt bis in die frühen Morgenstunden nicht mehr zurück auf die Seite, auf der sich sein Hotel, seine Wohnung oder seine Freunde befinden. Mystisch wirken die großen Frachter, die würdevoll an den Nachtspaziergängern vorbeigleiten.

»Es hat sich doch total gelohnt, jetzt im Juni zu fliegen, oder?«, sagte ich romantisch zu Peter.

»Auf jeden Fall ...«, seufzte er.

»Lena, ich finde, du solltest dir die Haare schneiden lassen. Sie sind zu lang. Ich kann dich zu meinem Friseur mitnehmen«, sagte meine Tante und zog an meinen Haaren. Es war eine wunderbare weiße Nacht.

Die weißeste Nacht des Jahres nimmt selten Rücksicht auf die Wochentagefolge. Der folgende Tag war ein Dienstag. Meine Cousine und ihr Mann mussten zur Arbeit. Uns scheuchten sie ebenso früh aus dem Bett und in die Eremitage: Schließlich wäre es Zeitverschwendung, im Urlaub ausschlafen zu wollen, bei allem, was diese Stadt bietet! Es war ja nicht zu fassen, dass wir die niederländische Malerei des 17. Jahrhunderts noch nicht gesehen hatten!

Die Metro war überfüllt, die Menschen mussten zur Arbeit. Während Peter es irgendwie hinbekam, von den anderen Passagieren an die Wand gequetscht und, den Kopf an eine Werbetafel gelehnt, einzuschlummern, versuchte ich, die Gespräche der anderen Mitfahrer zu belauschen. Ich liebe es, Russisch zu hören. Fast alle schwärmten von der längsten weißen Nacht. Fast alle machten Pläne für die nächste, man müsse die Weißen Nächte ja auch am Finnischen Meerbusen genießen! Oder nachts auf die Isaakkathedrale steigen und die Stadt von oben in ihrem silbrigen Licht erglühen sehen! Ich warf einen neidvollen Blick zum dösenden Peter und plante für die nächste Nacht viel Schlaf ein.

Im Leben ist es meiner Meinung nach oft so: Über die schönen Dinge wird viel gesprochen, aber die schlechten Seiten werden unter den Teppich gekehrt. Wie in der Werbung: Wie köstlich die Schokolade ist, wird ausführlich geschildert; aber wie sie sich an den Hüften festsetzt, nicht einmal im Nebensatz erwähnt. In Petersburg ist es ähnlich: Alle sprechen von den Weißen Nächten, keiner spricht von den Mücken. Dabei leben vor allem in den Sommermonaten, vor allem im Juni, vor allem während der Weißen Nächte, weitaus mehr Mücken als Menschen in Sankt Petersburg. Die Stadt liegt an der Ostsee und auf einer so gut es ging trockengelegten Sumpflandschaft – die Mücken sagen sich: Ein angenehmeres, warmfeuchteres Klima könnte es für uns gar nicht geben, und dann noch die Romantik der Weißen Nächte!, und übervölkern die Stadt. In Parks zur Abendzeit sind ihre Schwärme teilweise so dicht, dass man kaum einen Meter weit sehen kann. Und sie alle haben nur ein Ziel: mich.

Weshalb ich in der Eremitage, in einer der wichtigsten Kunstsammlungen der Welt, hauptsächlich damit beschäftigt bin, mich an den Beinen zu kratzen. Damit ich mich so richtig russisch fühlte, hatte ich zu unserem Nachtspaziergang an der Newa einen kurzen Rock angezogen.

Abends bin ich vom Kratzen und der weißen Nacht ganz müde. Zur Kinderschlafzeit meines Neffen gehen auch wir ins Bett.

»Gute Nacht«, sagt Peter und schläft im Nu ein, denn er kann immer und überall schlafen.

»Gute Nacht«, sage ich und mache zufrieden die Augen zu.

Höre ein gefährliches Summen direkt über meinem Kopf und mache sie wieder auf. Die Sonne scheint mir um halb zehn Uhr abends aus dem Fenster direkt ins Gesicht.

Der Kapitalismus hat Russland Anfang der Neunziger im Nu erobert. Die Russen auf dem Newskiprospekt tragen mehrere Handys und mindestens einen iPod. Sie kaufen bei Gucci und Armani. Sie fahren gerne in großen Limousinen, sobald sie genug Geld dafür haben. Meine Cousine hat im Bad eine Fußbodenheizung und in der Küchenspüle einen Abfallzerkleinerer. Jalousien hat sie nicht. Der russische Kapitalismus hat seine Lücken.

Weshalb die Weißen Nächte praktisch in meinem Zimmer stattfinden. Hellwach liege ich im Bett und blicke nun nicht mehr auf die silbrige Newa, sondern durch das Fenster auf graue Plattenbauten. Die passende Musik liefern die Mücke, die ich gegen zwei Uhr morgens »Träumer« taufe (nach der Hauptfigur in Dostojewskis Liebesgeschichte *Weiße Nächte*), und ihre Freunde, die sie gegen halb drei zu uns einlädt. Wunderbare weiße Nächte!

Um 5.13 Uhr schaue ich ein letztes Mal auf die Uhr. Irgendwann danach schlafe ich ein.

Um halb acht steht meine Cousine im Zimmer. »Aufstehen!«, ruft sie. »Heute müsst ihr die Peter-Paul-Festung sehen, danach ins Russische Museum für ein paar Stunden, vergesst nicht, euch die Bilder von Schischkin genau anzusehen …«

Als wir zurückkommen, will jeder wissen, wie Petersburg und die Weißen Nächte gewesen sind. Peter schwärmt von dem silbrigen Licht, den aufgehenden Brücken, dem dezent beleuchteten Winterpalast. Ich kratze an den letzten Stichen des Träumers, meines treuen Begleiters der letzten zwei Wochen, und gähne herzhaft.

Als stolze Petersburgerin kann ich all das Jost natürlich nicht erzählen. Als stolze Petersburgerin schwärme ich von den Schattenspielen, dem mystischen nächtlichen Licht und der Romantik des Dosenbiers an der Newa. Und dann bemerke ich nebenbei, dass ich im Juni leider, leider bereits etwas vorhabe, weshalb wir unsere Reise auf den August verschieben müssen, auch ein schöner, warmer Monat, den Mücken schon fast zu warm, die Sonne geht gegen neun Uhr unter, wie es sich für diese Breitengrade im Sommer gehört.

Jost und ich fliegen dann doch auch im Juni nach Petersburg, weil sich herausstellt, dass ich im Grunde ein herzensguter Mensch bin und gerne meinen Schlaf opfere, damit andere eine, nein meine, Weltstadt in ihrer zauberhaften Dämmerung bewundern können.

Um zwei Uhr nachts werden die Brücken nacheinander aufgezogen, große, mächtige Schiffe gleiten hindurch. Jost und ich beobachten sie vom Ufer der Newa, wir gehen am Finnischen Meerbusen spazieren und steigen die zweihundertzweiundsechzig Stufen zum Säulengang unter der Kuppel der Isaakkathedrale hinauf. Wir machen sogar eine touristische »Weiße Nächte«-Bootsfahrt auf der Newa, weil angeblich das, was man sich unter den dreizehn aufgehenden Brücken wünscht, in Erfüllung geht. Vier meiner Wünsche haben mit Mücken und Tod zu tun. Der letzte lautet: »Jost soll Petersburg mögen.«

Jost sagt, als wir morgens müde in der Wohnung meines Onkels einfallen: »Danke, dass wir im Juni hergekommen sind. Das war eine wunderschöne weiße Nacht!« Es stimmt also, die Brückenwünsche gehen in Erfüllung.

Die Wohnung meines Onkels hat weder eine Fußbodenheizung im Bad noch einen Abfallzerkleinerer in der Küchenspüle, noch Jalousien. Dafür steht in der Küche ein großer sowjetischer Kühlschrank, dessen Tür aufzubekommen ein Kunststück für sich, sie wieder zuzubekommen faktisch unmöglich ist. Der Kühlschrank kann singen, sprechen, knurren und wütend sein. Wenn er wütend ist, rattert er besonders muffelig, laut und beängstigend vor sich hin. Manchmal wandert er dabei sogar ein wenig.

Am Morgen des zweiten Tages sagt Jost: »Ich bringe diesen Kühlschrank um. Wenn ich gewollt hätte, dass mich ein frisiertes Mofa in den Schlaf singt, wäre ich zu meinen Eltern gefahren und hätte mich in ihre Garage gelegt!«

Am Morgen des dritten Tages beschwert sich Jost: »Ich bin voller Mückenstiche. Diese Drecksviecher! Eine hat mich die ganze Nacht gepiesackt!«

Am Morgen des vierten Tages stellt Jost fest: »Die ganze verdammte Nacht ist es hell und nirgends ein Fetzen Vorhang! Wie soll man da nur schlafen? Das ist doch nicht normal!«

Nein, normal ist das nicht. Das sind die Weißen Nächte.

Eine Ode an den Dill

Jede Reise und jeder Reisende hat ein Ziel. Manche interessieren sich speziell für Architektur, andere wiederum klappern systematisch alle wichtigen Sehenswürdigkeiten ab, und wieder andere meinen, ein Land »richtig kennenzulernen«, indem sie stundenlang in Cafés sitzen und die Einheimischen beobachten. Mein Ziel einer jeden Sankt-Petersburg-Reise ist es, jeden Tag »Kartoschka« zu essen. Kartoschkas sind »Kartoffeln«, die mehr oder weniger aus Kakao und Kekskrümeln bestehen und eine Petersburger Spezialität sind. Sie schmecken ein wenig nach rohem Schokoladenkuchenteig, sind wie Kartoffeln geformt, zur Verzierung kommt obendrauf ein klitzekleiner Klecks Butter, so sehen sie aus wie verwachsene Kartoffeln. Frische Kartoffeln gab es im Petersburg der Sowjetzeit selten zu kaufen. Man erntete sie auf der Datscha und versuchte dann, sie über den Winter frisch zu halten. Die Kartoffeln, die man verkauft hat, waren selten frisch und immer voller Erde. Weshalb Kartoschkas vielleicht zu braun aussehen, um als deutsche Kartoffeln durchzugehen, aber den sowjetischen zum Verwechseln ähnlich sind. Es gibt nichts Besseres auf dieser Welt als Kartoschkas.

Kartoschkas gibt es im »Norden« (»Sewer«). »Norden« ist eine Petersburger Konditorei mitten auf dem Newskiprospekt, die mittlerweile leider Filialen in der ganzen Stadt aufgemacht hat und meiner Meinung nach den Kartoschkas damit den Zauber nimmt. Ich gehe nur in den »Norden« auf den Newskiprospekt.

Als ich klein war, aß ich selten Kartoschkas. Vor dem Laden bildete sich immer eine Schlange, man musste sich mindestens eine Stunde lang für Kartoschkas anstellen, und ob man dann tatsächlich noch welche bekam, wenn man endlich das heilige Innere betreten hatte, war zweifelhaft. Heute gibt es keine Schlangen, dafür immer so viele Kartoschkas, wie man möchte. Ich möchte mindestens zehn pro Tag. Schaffe leider zwar kaum mehr als zwei auf einmal von diesen Kalorienbomben, bin aber gerne bereit, den kleinen Laden, der zu meiner Freude trotz stadtweiter

Expansion noch genauso aussieht wie zu Sowjetzeiten, auch mehrmals täglich aufzusuchen.

Jost irgendwie nicht. Jost geht zwar brav mit, aber dann möchte er doch auch noch die Peter-Pauls-Festung sehen, Peterhof, den Sommergarten. Brav sagt er, dass auch er Kartoschkas mag. Aber so ganz überzeugend klingt es nicht.

»Lena, wir melden uns beide im Fitnesscenter an, wenn wir wieder zurück sind«, sagt er mindestens einmal am Tag.

»Auf jeden Fall!«, verspreche ich und lasse mir Kartoschkas zum Mitnehmen einpacken. Als Wegzehrung. Die Kunst in der Eremitage macht hungrig. Eingepackt werden sie – ebenfalls wie zu Sowjetzeiten – in Pappkartons, auf denen der Eisbär, das Logo des »Norden«, aufgedruckt ist. Die Kartons werden mit einem blauen Band verschnürt. Lässt sich immer gut mitnehmen, so ein Kartoschka-Pappkarton. Egal, wohin man unterwegs ist. Abends zum Beispiel, wenn wir meine Verwandten zum Abendessen besuchen, bringe ich statt Wein immer Kartoschkas mit. Nach dem Essen serviert man in Russland Tee, und dazu gibt es, zumindest wenn ich da bin, immer Kartoschkas.

Vor den Kartoschkas haben wir bereits mehrere Gänge bewältigt. Die strengen Regeln der russischen Gastfreundschaft besagen, dass es unhöflich ist, einen Gast gehen zu lassen, ohne dass er mindestens ein Kilo zugenommen hat. Ein guter Gastgeber sorgt dafür, dass der Gast sich nicht mehr zur Tür bewegen kann, und deshalb länger bleibt, um noch mehr essen zu können.

Jedes russische Essen beginnt mit einem Vorspeisentisch, der sich geradezu biegt unter der Last der Vielfalt und schieren Menge: diverse Mayonnaisesalate (darunter die Klassiker Kartoffelsalat und Hering unterm Pelzmantel), nach Hausart eingelegte Datschaprodukte – Gurken, Pilze, Tomaten – und Kaviarbrote. (Weder Russischbrot, russisches Ei oder russischer Zupfkuchen finden sich dabei auf dem Tisch, denn von allen drei Speisen haben die Russen noch nie gehört.) Kaviar ist in Russland das primäre Zeichen eines Festes: Wenn Kaviarschnittchen auf dem Tisch stehen, gibt es was zu feiern. Zu Sowjetzeiten waren die kleinen grünen Kaviardosen eine härtere Währung als der Dollar. Völlige Verständnislosigkeit sowohl vonseiten Peters als auch Josts, die sich beide zu meiner Schande weigern, diesen auch nur zu probieren. Peter, unglaublich, aber wahr, wollte nicht einmal schwarzen Belugakaviar probieren, als ich den einmal auftreiben konnte. Dessen Verkauf ist in Russland inzwischen untersagt, den Fischen und den Neureichen zuliebe. Die Fische sollen länger leben und die Neureichen den Kaviar nicht teilen müssen, denn die schaffen es irgendwie trotz strengen Verkaufsverbots, Kaviarpartys zu veranstalten, bei denen der Kaviar nicht vorsichtig auf Baguettescheiben gestrichen, sondern üppig gelöffelt wird.

»Sind die Deutschen dumm?«, will meine Tante wissen, als Jost deutlich macht, dass er mehr an Kartoffelsalat als an Kaviar interessiert ist.

Und so gerne Peter auch gemocht wird, seine Kaviarverweigerung ist noch nicht verjährt.

Nach den Vorspeisen kommt das richtige Essen. Also erst einmal die Suppe. Damit ist kein nettes kleines Schüsselchen pürierte Gemüsesuppe gemeint, sondern ein großer, tiefer Teller Borschtsch oder Soljanka zum Beispiel. Fleischhaltig natürlich. Lange habe ich versucht, meinen Verwandten zu erklären, was ein Vegetarier ist, aber sie haben es bis heute nicht verstanden. Essen ohne Fleisch ist kein Essen, sondern ein exotischer Snack. Dem ein Essen zu folgen hat. Der Suppe folgt ein Hauptgericht. Dem Hauptgericht folgen unweigerlich Tee und Kartoschkas. Dann geht es wieder von vorne los. Für Russen wäre eine Einladung zum Wein und Käse mit Knabbergebäck ein Schlag ins Gesicht. Ein deutlicheres »Ich kann dich nicht ausstehen!« könnte es nicht geben.

Jeden Abend essen wir bei meinen Verwandten. Nachdem wir mittags schon einen Haufen Pelmenis, tortelliniähnliche Teigtaschen, verdrückt haben, von denen wir jeden Tag aufs Neue viel zu viele bestellen. Und wir haben natürlich auch einen gefüllten Blini probiert, denn zufällig befindet sich der beste Bliniladen der Stadt direkt neben dem »Norden«, was ja mein zweites Zuhause ist.

»Wie lebt ihr eigentlich?«, fragt meine Tante und schüttelt den Kopf.

»Wie, wie leben wir?«

»Ja, wie lebt ihr? Ihr esst nicht richtig! Wie kann man so leben?«

Wir leben eigentlich ganz gut. Nehmen im Durchschnitt täglich ein Kilo zu und sind verwundert darüber, dass wir dennoch in der Lage sind, jeden Tag lange Stadtspaziergänge zu machen.

»Wie lebt ihr? Übersetze Jost, er soll mir mal erklären, wie ihr lebt!«, wiederholt meine Tante.

Das übersetze ich Jost gerne. Der starrt mich entgeistert an.

»Frühstück!«, ruft meine Tante aus. »Wie lebt ihr ohne Frühstück? Es bleibt doch bald gar nichts mehr von euch übrig!« Dabei lädt sie mir ein großes Fleischstück neben meine Kartoffeln auf den Teller. Frühstück ist in Russland ein wichtiges Thema. Mindestens so wichtig wie das Mittagessen und das Abendessen. Ein Frühstück muss warm sein, ein Frühstück muss sättigen. Zu einem richtigen Frühstück gehört mindestens eine Art von Brei, Buchweizen, Hirse, Grieß … Gerne werden auch die Reste vom Vorabend aufgewärmt. Wenn bei europäischen Hotels das Frühstück in der Buchungsrate eingeschlossen ist, wird das in russischen Reisebüros nicht einmal erwähnt, denn Brötchen mit Marmelade sind ein netter Teesnack, aber kein Frühstück.

Als ich kurz nach unserer Einwanderung nach Deutschland das erste Mal bei einer deutschen Freundin übernachtete und ihre Mutter mich morgens fragte, was ich gerne zum Frühstück haben wollte, antwortete ich: »Gibt es noch etwas von den Spaghetti von gestern? Oder Hähnchen?«

Sie hielt mich für ein witziges, etwas sonderbares Kind und servierte mir ein Müsli.

»Die Deutschen essen Vogelfutter mit Milch zum Frühstück«, erzählte ich meinen Eltern.

Das russische Essen zeichnet sich vor allem durch seine Mengen aus, weniger durch die Erlesenheit. Salz ist ein gutes Gewürz, finden die Russen. Zu besonderen Anlässen nehmen sie Pfeffer. Als meine Tante uns in Deutschland besuchte und unser Regal mit italienischen, türkischen, indischen, arabischen und thailändischen Gewürzen und Kräutern sah, sagte sie: »Wozu brauchst du all diese Staubfänger? Du bist ja wie eine alte Frau, die kleine Döschen sammelt. Schmeiß sie doch weg!«, und fing mit Peters wertvollem Safran an.

Dafür essen die Russen Dill. Unmengen von Dill. Unendlich viel Dill.

Wenn wir meine Eltern besuchen, kochen Peter und ich manchmal für sie. Vorher setzen wir uns hin, blättern in unseren vielen Kochbüchern und stellen ein Menü zusammen. Dann rufe ich meine Eltern wegen der Einkaufsliste an.

»Tomaten, Auberginen, Zucchini …«, beginne ich.

»Welches Fleisch?«, fragt mein Vater.

»Warte, ich diktiere dir erst das Gemüse.«

»Ich würde Lamm kochen. Lamm ist immer gut«, rät mein Vater.

»Wir machen aber kein Lamm. Wir machen Ente.« Das akzeptiert er, Ente ist zwar Geflügel, aber doch richtigeres Fleisch als Pute oder Huhn.

»Dann brauche ich noch Ziegenkäse für die Vorspeise«, fahre ich fort.

»Okay, das schreibe ich jetzt nicht auf. Den haben wir da.«

»Was habt ihr da?«

»Käse.«

»Was für Käse?«

»Weiß ich nicht. Käse eben.«

»Was für Käse?«

»Guten Käse. Echten türkischen Schafskäse vom Türken.«

»Aber ich brauche Ziegenkäse!«

»Ist doch alles Käse!«, erklärt mein Vater. Und dabei sind wir noch nicht mal bei den Kräutern angelangt.

»Dann brauche ich frisches Basilikum …«

»Ist das wieder so ein Baum?«

»Basilikum.«

»Das ist bestimmt wieder so ein Baum im Topf, davon zupfst du ein halbes Blättchen ab, und dann steht es noch einen Monat bei uns herum und nimmt Platz weg, bis es verwelkt. Nimm lieber Dill. Wir haben Dill.«

»Ich brauche aber Basilikum …«

Mein Vater ersetzt sogar Ingwer mit Dill.

Einmal kochte Peter meinem Vater zuliebe ungarisches Gulasch. Mein Vater bot sich als Küchenassistent an. Er schnippelte Paprika, ohne zu murren. Dann heckselte er Dill, ohne dass Peter ihn darum gebeten hätte.

»Hier ist dein Dill«, sagte er, als er fertig war.

»Ich brauche keinen Dill«, antwortete Peter und stellte sich schützend vor seinen Topf.

»Ich habe ihn schon geschnitten!«, antwortete mein Vater. »Dill passt zu allem, ist ein sehr gutes Gewürz.«

»Aber nicht zu ungarischem Gulasch.«

Während des Kochens war mein Vater ständig um Peter herum, hob den Topfdeckel und schnupperte, lobte Peter, drückte seine Vorfreude aufs Gulasch aus und versuchte nebenbei, den Dill unterzubringen. Als Peter telefonieren musste, traute er sich nicht, den Topf unbeaufsichtigt zu lassen. Er stellte mich als Wache ein.

»Oh, endlich ein normaler Mensch!«, sagte mein Vater auf Russisch, als er wieder in die Küche kam und mich am Herd stehen sah. »Hier ist der Dill!«

Ich kämpfte gegen meinen eigenen Vater. Seufzend gab er nach. Wir waren so stolz auf uns.

Um meinen Vater zu beschäftigen, trug Peter ihm auf, Salzkartoffeln als Beilage zu kochen. Während wir den Tisch deckten, bestreute mein Vater die gekochten Kartoffeln ausgiebig mit Dill.

Jost findet, wir sollten auch mal für meine Familie in Petersburg kochen. Ich bin da etwas skeptisch, weil ich bezweifle, dass wir es bis zum Abend schaffen, ein normales russisches Essen vorzubereiten, selbst wenn wir morgens mit dem Kochen beginnen würden. Unsicher bin ich mir auch, ob wir den russischen Ansprüchen genügen würden. Peter hatte mal eine Möhren-Ingwer-Suppe gemacht, der der Mann meiner Cousine unauffällig Speckwürfel hinzufügte, denn: Was ist schon eine Suppe ohne Fleisch.

Jost und ich einigen uns darauf, eine Gemüsebeilage zuzubereiten, während mein Cousin sich um den Schaschlik kümmert.

»Toll, wir bekommen heute eine echt deutsche Beilage!«, freut sich meine Tante, die seit Jahren mithilfe der Deutschen Welle Deutsch lernt und daher allem Deutschen gegenüber aufgeschlossen ist.

»Wo hat denn deine Tante die Gewürze?«, fragt Jost.

Ich suche wider besseres Wissen alle Schränke ab, um dann in den Kühlschrank zu greifen. »Hier ist Dill«, sage ich.

»Das deutsche Gemüse schmeckt ja genau wie das russische!«, freut sich meine Tante beim Essen.

Sibirien fängt hinter Petersburg an: Ein Besuch auf einer russischen Datscha

Eine Datscha ist kein Wellnesshotel.

Als Jost im Vorfeld sagte, wie sehr er sich auf die Reise freute, auf Petersburg und meine Verwandten, war ich etwas skeptisch. Ich fragte mich, ob Jost meine Familie überstehen würde. Also heil überstehen würde, ohne psychische Schäden. Und ob unsere Freundschaft diese Reise überleben würde.

Uneingeschränkt und sorgenfrei freute ich mich eigentlich nur auf die Datscha.

Ab Ende April sind Petersburgs Balkone und Fenster mit Milchkartons geschmückt. Die Milchkartons werden oben abgeschnitten und mit Erde gefüllt, Anfang Mai bahnen sich die ersten Spitzen ihren Weg ans Licht: So werden Gurken, Tomaten und andere Datschaprodukte vorgezüchtet.

Ab Mitte Mai ist Petersburg an den Wochenenden wie leer gefegt, an den Fenstern steht auch nichts mehr, dafür füllen sich die Vorortzüge: Die Datschasaison ist eröffnet.

Datschas sind kleine, meist selbst gebaute und gestrichene Holzhäuser, gerne mit Laubsägeverzierungen um die Fenster, davor ein kleiner Garten. Im Garten wachsen Gurken, Kartoffeln, Tomaten, Kürbisse, Zucchini, Beeren aller Art und natürlich Unmengen von Dill. Ab August sind die Züge überfüllt mit Menschen, die ihre Ernte in eingemachter und eingelegter Form wieder in die Stadt bringen: Marmeladengläser, eingelegte Gurken und Tomaten, getrocknete Pilze und Beeren, Gemüse.

Zu Sowjetzeiten waren die nach einem Kooperativprinzip über den Arbeitgeber verteilten Grundstücke ein Zugeständnis an den menschlichen Wunsch, etwas Eigenes zu besitzen. Für die Petersburger waren und sind sie unentbehrliche Überlebenshilfen: Einerseits lassen sich die Kinder samt Großeltern wunderbar für die drei Monate langen Sommerferien dort abladen, andererseits sorgt die Ernte ab dem Herbst für Essen auf dem Tisch.

Wir fahren zusammen mit meinem Cousin übers Wochenende auf die Datscha, wo mein

Onkel und meine Tante mit ihrer Enkeltochter die Sommerferien verbringen. Wir haben Rucksäcke voller Essen für die drei dabei, das bis zum nächsten Wochenende reichen muss.

»Fahrkarten brauchen wir nicht«, sagt mein Cousin, als ich gerade welche kaufen will. »Wir werden bestechen.«

»Wir können doch Fahrkarten besorgen, die kosten doch kaum was«, flüstert Jost mir zu, als ich ihn über unser Vorhaben in Kenntnis setze.

Ich will gerne mal bestechen. Mein Leben lang habe ich gehört, wie Bestechung mit Geld oder auch Naturalien in der Sowjetunion und in Russland Tür und Tor öffnet. Aber da ich zu klein war, hatte ich noch nie das Vergnügen, es selbst auszuprobieren. Heute ist mein erstes Mal.

Es scheint denkbar einfach.

»Die Fahrkarten bitte«, sagt die Schaffnerin.

»Wir haben keine«, antwortet mein Cousin.

»Wo wollen Sie denn hin?«

Mein Cousin nennt eine Station, die weit vor unserer eigentlichen kommt.

»Die Fahrkarten für drei Personen kosten dann 540 Rubel plus Strafe«, erklärt die Schaffnerin.

Mein Cousin lächelt freundlich und reicht ihr 150 Rubel, die sie wortlos einsteckt, um sich dann zum nächsten Vierersitz umzudrehen: »Die Fahrkarten bitte.«

»Wir haben leider keine«, antwortet man ihr auch dort.

Ich merke mir jedes Wort. Und freue mich darauf, auf dem Rückweg, wenn Jost und ich allein unterwegs sein werden, ganz selbstständig zu bestechen.

Auf dem Rückweg bewundern die um uns herum sitzenden Babuschkas in bunt gemusterten Kopftüchern und geflochtenen Körben Josts deutsche blaue Augen. Als sie die Schaffnerin kommen sehen, fragen sie mich, ob wir Fahrkarten haben.

»Nein!«, antworte ich stolz. Und wedle mit einem 100-Rubel-Schein.

»Sehr gut«, krächzen die Babuschkas, diese gebrechlichen, zittrigen alten Frauen. »Und sag ihr, dass ihr gerade eben eingestiegen seid.«

»Die Fahrkarten, bitte!«, sagt die Schaffnerin.

»Wir haben leider keine«, antworte ich wie eine professionelle Bestecherin.

»Wo sind Sie eingestiegen?«

Ich nenne ihr vorsichtshalber die vorletzte und nicht die letzte Station. Sie hört mir gar nicht zu, sondern mustert Jost in seiner Profiwanderausrüstung von oben bis unten.

»Sie müssen eine Strafe zahlen«, sagt sie.

Ich strecke ihr den 100-Rubel-Schein entgegen.

»Das macht aber 200«, antwortet sie.

Die Babuschkas zahlen alle nur 50 Rubel pro Person. Die Babuschkas haben aber auch nicht Josts deutsche blaue Augen.

Die Russen sind überzeugt, das naturverbundenste Volk der Welt zu sein. Die Tatsache, dass die russischen Regierungen seit Jahrzehnten mehr als rücksichtslos mit der Natur und ihren Ressourcen umgehen, wird hierbei außer Acht gelassen. Denn der Russe an sich liebt die Natur, liebt Russlands Birkenwälder und den moosigen Duft darin. Der Russe an sich kennt jede Pilzart und jede Beere, erkennt am Boden, wo Steinpilze und wo Pfifferlinge wachsen, er wäscht sich mit Vorliebe im Fluss, wo er auch den Fisch fängt, den er dann am Lagerfeuer zum Abendessen brät. Im August und September fahren die Russen mit sogenannten Pilzzügen jedes Wochenende in die Wälder.

Was ich über die Datscha noch weiß: dass es im Haus so schön nach Holz riecht. Zu meiner Freude hat mein Onkel inzwischen die Wände seiner Datscha sogar mit vergilbten alten *Prawda*-Zeitungen tapeziert. Dass eine Gurke direkt aus dem Garten in den Mund besser schmeckt als jede Gurke, die ich in den letzten fünfzehn Jahren gegessen habe. (Auf meine Frage an Peter, was ich ihm mitbringen sollte, sagte er: »Nur Datschagurken.«) Dass die Luft auf der Datscha nach Frische riecht. Dass Johannisbeeren vom Strauch den Mund noch mehr verdrehen als saure Bonbons. Dass das Zauntor bei jeder Datscha ähnlich quietscht. Dass man im Garten barfuß laufen kann, ohne zu befürchten, dass man sich was eintritt. Dass russische Datschaäpfel klein, weiß und süß sind. Dass es kein größeres Erfolgserlebnis gibt, als selbst gefundene Pilze mit selbst geernteten Kartoffeln zu braten und zu verspeisen.

Und hier, was ich alles erfolgreich verdrängt habe: Es gibt kein fließendes Wasser in den Datschas, und das aus dem Ziehbrunnen ist eiskalt. Das Heraufziehen des Wassers ist nicht nur romantisch, sondern auch anstrengend. Unkraut zu jäten in Erdbeerbeeten macht nur fünf Minuten lang Spaß, und auch dann nur, wenn man es in Deutschland fünfzehn Jahre lang nicht gemacht hat. (Ach, warum nur habe ich meinen Verwandten seit einer Woche täglich versichert, wie unbändig ich mich aufs Unkrautjäten freue.) Nachts ist es so unglaublich kalt, auch wenn man das Kuscheltier drückt, mit dem schon mein Cousin, dann mein Bruder, dann ich gespielt haben und das nun meiner Nichte gehört. Es hat keine Augen mehr und nur noch einen halben Arm. Es wärmt überhaupt nicht.

Was ich aber am besten verdrängt habe, ist das Plumpsklo.

Gut, ich wusste, dass es eines gibt. Und ich habe geahnt, dass ich es mal aufsuchen müsste. Was ich unterschätzt habe: *wie* groß der Unterschied zum Badezimmer eines westlichen Wellnesshotels ist. Und wie sehr mir das zu schaffen machen würde.

Es stellt sich heraus, dass Josts großartige Jack-Wolfskin-Wanderausrüstung der Überprüfung durch unseren Offizier, meine Tante, nicht standhält. Weshalb er eine gelbe Mütze aufgesetzt bekommt (gegen Mücken), zu große Gummistiefel und einen Datschakittel undefinierbarer Farbe, den mein Vater schon als Jugendlicher getragen hat.

Ich werde ähnlich ausgestattet.

»Lena, du siehst aus wie eine Vogelscheuche!« Jost sollte froh sein, dass kein Spiegel in der Nähe ist.

So ausgerüstet ziehen wir los. Wir suchen Pilze, machen Äpfelpicknick im Wald, schwimmen im See und angeln Fische. Jost fängt keinen einzigen. Wir anderen auch nicht, obwohl mein Cousin schwört, dass normalerweise an dieser Stelle die größten Fische anbeißen wie verrückt. Keiner fängt etwas, aber wir alle angeln mit Würmern als Köder, die meine Nichte stolz in einem Joghurtbecher für uns trägt. Jost hingegen bekommt von meinem Cousin teure Plastikköder, die wie Fische glitzern, und schafft es, jeden einzelnen innerhalb einer halben Stunde im See zu versenken.

Es ist wie eine Reise in meine glückliche Sommerkindheit, nur dass ich anschließend, als wir nass und müde zurückkehren, am liebsten ein heißes Lavendelbad nehmen würde. Und dann gerne einen Latte macchiato. Und dann vielleicht noch zwei, drei Stunden Dampfbad. Stattdessen muss ich unter eiskaltem Brunnenwasser Geschirr abwaschen und, wie versprochen, Unkraut jäten. Dazwischen suche ich gezwungenermaßen das Plumpsklo auf.

Abends gibt es Schaschlik. Der russische Schaschlik ist mit dem deutschen Schaschlik nicht einmal entfernt verwandt. Der russische Schaschlik ist der König der Schaschliks: Die großen Fleischstücke an den überlangen Spießen schreien geradezu »Ich bin der größte der Welt«. Der größte und natürlich der leckerste. Fleisch. Schaschlik. Männer. Bei keiner anderen Tätigkeit beweisen sich die russischen Männer gegenseitig ihre Männlichkeit besser als bei der Zubereitung von Schaschlik. Ein berühmtes Filmzitat lautet: »Ein Schaschlik duldet keine Frauenhand.« Und so ist es auch. Die russischen Männer mögen nicht wissen, was ein Kochtopf ist, aber beim Schaschlikbraten macht ihnen keiner so leicht was vor. Einmal sagte meine Cousine zum Beispiel sehr stolz über ihren Mann: »Und als ich dann mit dem gebrochenen Bein im Bett lag, hat er sich sogar an zwei Tagen selbst ein Rührei gemacht.«

Dabei blickte sie mich an, als müsste ich bei dieser Art von Liebesbeweis vor Rührung weinen. Aber an seinen Schaschlik lässt er sie nicht, nicht einmal in die Nähe.

Der Schaschlik wird bereits am Vortag mit frischen Datschakräutern, Kefir, Granatapfelsaft und anderen Zutaten mariniert (natürlich hat dabei jeder Mann sein eigenes, weltbestes Rezept) und über echtem Lagerfeuer gebraten. Ein Grill hat in der russischen Natur nichts zu suchen. Ein Lebensmittelunternehmen, das einmal versuchte, bereits mariniertes, in kleine, mundgerechte Portionen geschnittenes Fleisch in Russland einzuführen, ist daran beinahe pleitegegangen. Schaschlik ist reine Männersache, das lässt sich nicht industrialisieren.

Putins Schaschlik beispielsweise ist so legendär, dass er seinerzeit die Oligarchen auf seine Datscha einlud, um sie dort bei Schaschlik und Wodka dazu zu verpflichten, sich aus seiner Politik herauszuhalten und auf kritische Äußerungen zu verzichten. Dieser Ausflug ist dann als Schaschlikpakt in die Geschichte eingegangen und hat Putin, wenn man vom schwarzen Schaf Chodorkowski absieht, zwei weitgehend kritikfreie Amtszeiten und nette, reiche Oligarchenfreunde beschert.

Mit Argusaugen bewacht auch mein Cousin seinen Schaschlik. Keine der Frauen darf auch nur in die Nähe des Feuers.

»Womit ist es eingelegt?«, erkundigt sich Jost angelegentlich.

»Das Fleisch?«, fragt mein Cousin und schaut Jost ungläubig an. Als würde ein russischer Mann jemals sein Schaschlikrezept verraten.

Wir Frauen dürfen Gurken, Salat, Radieschen und Tomaten ernten und den Beilagensalat zubereiten. Wir dürfen auch Kartoffeln aus der Erde ausgraben und waschen und sie in Folie einwickeln. Ins Feuer legen dürfen wir sie nicht, weil wir ja dem Schaschlik zu nahe kommen könnten.

Wir Frauen dürfen dann aber die Bewunderung des Schaschliks übernehmen. Wir seufzen und legen dabei unsere Hände ans Herz, und mein Cousin grinst von einem Ohr zum anderen und häuft allen noch mehr Fleisch auf den Teller. Mehr, mehr zu mir bitte.

Nur mein Onkel schweigt. Erst als meine Tante sagt: »Du machst auch einen ganz tollen Schaschlik«, kann er wieder lächeln.

Jost, dem seine männliche Ehre anscheinend nichts bedeutet, sagt: »Das ist das beste Fleisch, das ich je gegessen habe! Ich könnte das niemals!«

Wir essen Schaschlik, Kartoffeln aus dem Feuer, frischen Salat von Tellern, die nach westlichen Maßstäben seit Jahren nicht mehr sauber gewesen sind. Um nicht so viel spülen zu müssen, trinken wir Wodka aus Tassen, aus denen wir später auch Tee trinken werden. Selten hat mir etwas so gut geschmeckt.

Später sitzen wir im Garten, wo es nach Lagerfeuer, Schaschlik, Dill und Brombeeren duftet, unter dem hellsten Sternenhimmel, den man in der Stadt so niemals zu sehen bekommt. Mein Cousin holt seine Gitarre und mein Onkel seine Holzlöffel, und wir singen alle ein paar Lieder über Abschied, und Jost summt ein bisschen mit, und ich bin so unglaublich glücklich, dass die Datscha kein Wellnesshotel ist.

Mein Opa Lenin

Ich lernte bereits im Kindergarten, dass Opa Lenin ein wundervoller Mann war. Gütig, mutig, klug, immer bereit, das eigene Wohl für das des Volkes zu opfern. Ich wurde mit Geschichten über ihn als Kind in den Mittagsschlaf gewiegt und sang nach dem Aufstehen Lieder über ihn. Sein Bild war das Erste, was ich sah, wenn ich den Kindergarten betrat.

Ich weiß, es klingt größenwahnsinnig, aber ich war überzeugt, Opa Lenin sei mein eigener Opa. Die Lieder über ihn sang ich besonders laut und voller Inbrunst und Stolz: So viele Lieder und Bücher, und alle handeln sie von *meinem* Opa. Meine Überzeugung kam nicht von ungefähr: Opa Lenin heißt auf Russisch so viel wie »Opa von Lena«. Wie groß war der Schock, als ich mit meiner Mutter einmal an einem Lenin-Denkmal vorbeispazierte und sie mich darauf aufmerksam machte.

»Aber der sieht ja gar nicht aus wie Opa!«

Nachdem mir mein Missverständnis klar geworden war und ich es einigermaßen überwunden hatte, sah ich Lenins Güte und seinen Mut etwas skeptischer. Als der Kommunismus ein paar Jahre später auch offiziell als das enttarnt wurde, was er war – eine schöne, aber leider unrealistische Utopie –, und die Statuen Lenins nach und nach aus der Stadt verschwanden und aus Leningrad Petersburg wurde, weinte ich dem Opa aller sowjetischen Kinder keine Träne hinterher.

Die Menschen in Russland aber, die brauchten einen neuen Opaersatz. Lenin war einst der Ersatz für den Zaren gewesen, ihm selbst war Stalin, später irgendwann einmal Gorbatschow gefolgt, dann Jelzin. Immer hatten die Russen einen Opa oder Übervater gehabt, jemanden, der sie führt, der ihnen Entscheidungen abnimmt und Autorität ausstrahlt. Demokratie für Russland wollen andere; die meisten Russen wollen hauptsächlich Ruhe und eine Führungsperson.

Jost ist ein großer Demokratieverfechter. Jost ist politisch informiert und interessiert und hat sich mit dem semidemokratischen System Russlands ausführlich beschäftigt. In meiner Familie meint er einige Gesprächspartner zu diesem Thema entdeckt zu haben: interessierte, intelligente, informierte Menschen mit Doktortiteln.

»Bei den nächsten Wahlen …«, beginnt er.

»Ach, die nächsten Wahlen sind noch so lange hin …«, meint meine Cousine.

»Bei den letzten Wahlen, für wen haben Sie da gestimmt?«, wendet sich Jost an meine Tante.

»Oh, am letzten Wahltag habe ich ein sehr interessantes Buch gelesen. Von einem Japaner. Nicht Murakami, sondern … warte, es fällt mir gleich ein. Jeder liest gerade Japaner. Magst du japanische Literatur?«, antwortet meine Tante. Viel wichtiger, als eine politische Meinung zu haben, ist es in Russland, eine Meinung zur Kultur zu haben. Jeder gebildete Mensch weiß, was man gerade liest, im Theater anschaut, in der Philharmonie hört. Kaum einer weiß, was für Gesetze diskutiert werden. Wie kann man politisch sein in einem Land, in dem man seit Jahrzehnten gelernt hat, dass die Führung schon wissen wird, was sie tut. Irgendwie. Irgendwann. Ohne unsere Hilfe.

»Was halten Sie von Putin?«, fragt Jost meine Tante.

»Er sieht gut aus, ein stattlicher Mann«, antwortet meine promovierte Tante.

»Okay, und was ist mit Tschetschenien?« Jost versucht es nun bei meinem Cousin.

»Was soll damit sein?«

»Die Menschenrechtsverletzungen, die Unterdrückung ...«

Oh je. Das mögen wir aber gar nicht gerne.

Russland hat keine Fehler und macht keine Fehler. Ist das so schwer zu verstehen, lieber Jost?

Gut, wir mögen ein paar Länder besetzt gehalten haben. Wir mögen auch heute in manchen Ländern, in denen wir nichts zu suchen haben, unsere Truppen stehen haben. Wir mögen ein paar anderen Ländern Waffen verkauft haben, die nichts Gutes damit planen. Aber ist das der Rede wert? Müssen wir das überhaupt erwähnen?

Wer es öffentlich erwähnt, dem kann es passieren, dass er einen Autounfall hat.

Aber auch das ist nicht der Rede wert.

Denn die da oben wissen schon, was sie tun.

Und Russland ist das beste, schönste, wunderbarste Land, wusstest du das etwa nicht? Ein paar Fehler hier und da, ach, Jost, müssen wir wirklich darüber reden? Den Patriotismus haben die Amerikaner von den Russen gelernt. Und sie haben noch einiges dazuzulernen.

Überall in Petersburg nehme ich die Sowjetunion und den real existierenden Sozialismus wahr. An den Blicken der Menschen und an ihrer Kleidung. An der Art, wie die Verkäuferinnen fragen, und an den Gesprächen alter Männer in der Trambahn. In den Markthallen an den Metrostationen, wo all diejenigen einkaufen, die sich die bunten neuen Supermärkte nicht leisten können. Hinter fast jedem Haus blickt das arme Gesicht der Sowjetunion aus dem Hinterhof hervor. Nicht zu übersehen ist der Kommunismus in der *Prawda* am Zeitungsstand und in den zahlreichen Flyern der Kommunistischen Partei, die ich immer wieder in die Hand gedrückt bekomme. Opa Lenin winkt mir zu aus den immer noch allgegenwärtigen Erinnerungen an den Großen Vaterländischen Krieg, wie man den Zweiten Weltkrieg hier nennt. Und hie und da winkt mir Opa Lenin auch tatsächlich zu in seiner ganzen Übergröße, denn man hat nicht alle seine Denkmäler weggeräumt. Besonders deutlich sehe ich den Kommunismus, als meine Tante mir erzählt, um wie viel besser es in ihrem Unternehmen war, als es noch dem Staat gehörte und dieser eine große Bibliothek für die Mitarbeiter führte. Nun muss sie Bücher kaufen.

Jost hingegen sieht überall in Sankt Petersburg das neue Russland. Das glänzende, neureiche und »westliche« Russland. Die überlangen rosafarbenen Stretchlimousinen der Neurussen, ihre geschmacklosen Prunkhochzeiten in der Stadt. Russland, das ist der barocke Kunstpavillon, in dem inzwischen Versace residiert.

Da, wo Russland und die Sowjetunion aufeinandertreffen, ist einem nach Weinen zumute.

»Er ist schon eklatant, der Graben, der durch Russland führt«, beginnt Jost beim Abendessen wieder. »Auf der einen Seite diese unglaubliche Armut, auf der anderen Seite dieser protzige Reichtum.«

Vielleicht reden die Russen nicht gerne über diesen Graben, weil sie selbst darin sitzen.

»Wisst ihr, was Matwinenko schon wieder gemacht hat?«, unterbricht ihn mein Cousin. Matwinenko ist Petersburgs Bürgermeisterin und die einzige Politikerin, über die in Petersburg gerne gesprochen wird. Die Frage, was sie schon wieder gemacht hat, lässt sich jedes Mal stellen, wenn das Gespräch verstummt, denn die Petersburger sind überzeugt, die Frau sei ihnen von Moskau aufgedrückt worden.

»Eine gewisse Opposition gibt es doch in Russland. Wenn man die unterstützen würde ...« Jost lässt nicht locker.

Mein Onkel ist fast siebzig, seit Jahren in Rente und steht jeden Tag um sechs auf, um weiterhin zur Arbeit zu gehen, weil er von seiner Rente nicht einmal die Miete bezahlen, geschweige denn seine Familie ernähren könnte. Wenn er das erzählt – nach mehrmaliger Aufforderung und nicht, um zu jammern –, baut er ein paar Witze ein, sodass man lacht, obwohl einem eigentlich nicht danach zumute ist.

»Ja, und finden Sie es nicht total ungerecht, dass andere sich Paläste in die Stadt bauen lassen? Wollen Sie das einfach so hinnehmen?«, fragt Jost.

»Was soll man tun?«, antwortet mein Onkel und hebt seine Hände in die Luft. »Man lebt.«

Und endlich hört Jost auf zu fragen.

Der Abschied, wie in den Liedern

Drei Tage vor der Abreise beginnt das Theater.

»Was hat dir in Sankt Petersburg an besten gefallen?«, wird Jost von meiner Cousine mütterlicherseits gefragt.

»Hm, kann ich noch nicht abschließend sagen, wir haben noch einiges vor.« Er darf auf keinen Fall »Datscha« sagen, denn wir haben zwei Wochenenden hintereinander auf der Datscha meiner Familie *väterlicherseits* verbracht. Hingegen auf der Datscha meiner Cousine waren wir gar nicht. Diesen Fauxpas bekam bereits meine Mutter in einem ausführlichen Telefonat zu hören, die daraufhin mich anrief und mir befahl, ich solle mich gefälligst benehmen.

»Jost, was hat dir hier am besten gefallen?«, fragt mein Onkel am nächsten Tag.

»Die Datscha«, sagt Jost. Diesmal sind wir beim richtigen Familienzweig für diese Antwort.

»Die Datscha?«, fragt meine Tante und schaut auf.

»Ja, die Datscha! Nicht nur wegen des wunderbaren Schaschliks«, sagt Jost.

»Die Datscha«, schnauft mein Onkel und ruft zu seiner Schwiegertochter in die Küche: »Hast du gehört, ihm hat die Datscha am besten gefallen!«

»Die Datscha?« Im Nu kommt sie ins Wohnzimmer gerannt, wo wir alle versammelt sind.

»Du bist in Petersburg!«, stellt meine Familie fest.

»Und dir hat die Datscha am besten gefallen?«

»Die Datscha?«, fragt auch meine fünfjährige Nichte und stemmt ihre Hände entrüstet in die Hüften.

»Die Eremitage hat mich auch unglaublich beeindruckt. Überhaupt die Paläste hier«, fügt der verwirrte Jost hinzu.

»Die Eremitage also ...«

»Und die Paläste ...«

»Also hat dir die Kunst in der Eremitage nicht gefallen?«

»Doch, die meinte ich auch. Ich meinte die Eremitage als Ganzes.«

»Ja, die Eremitage ist schon unglaublich. Eines

der bedeutendsten Museen der Welt«, stimmt mein Onkel zu.

»Ja, die Eremitage ist einfach toll«, nickt Jost erleichtert.

»Aber heißt es, dir haben die anderen Museen nicht gefallen, das Russische Museum zum Beispiel?«, fragt mein Onkel.

»Doch, das auch! Alle Museen in Petersburg sind toll.«

»Und was ist mit unseren Theatern?«

»Die haben mich besonders beeindruckt.« Jost schaut mich Hilfe suchend an.

»Und was ist mit der Newa? Und den Brücken? Und der Architektur in der Stadt?«, frage ich ihn.

Als meine Cousine mütterlicherseits ihn am Tag vor unserer Abreise noch einmal fragt, sagt Jost ohne zu zögern: »Alles! Die Eremitage, das Russische Museum, das Theater, die Newa, die wunderschönen Brücken, ach, überhaupt die Architektur in der Stadt …«

Meine Cousine nickt anerkennend. »Und was sonst noch? Was hat dir am allerbesten gefallen?«

»Wirklich alles. Der Newskiprospekt, die schönen Metrostationen, die Kirchen, die Kathedralen … Und ich mochte sehr das russische Essen, die gefüllten Blini zum Beispiel!«

»Hörst du, ihm haben die Blini gefallen!«, ruft meine Cousine ihrem Mann zu. »Er kommt nach Petersburg, um Blini zu essen!«

»Er kommt nach Petersburg, um Blini zu essen? Und die Peter-Pauls-Festung hat ihm nicht gefallen?«, ruft ihr Mann uns entgegen.

»Doch, sehr beeindruckend«, beeilt sich Jost zu versichern.

»Ja, aber was hat dir am besten gefallen?«

Mir persönlich hat ja Kartoschka am besten gefallen. Aber das sage ich lieber nicht laut, sonst werde ich noch exkommuniziert.

»Wann kommt ihr wieder nach Piter?«, heißt es an unserem Abschiedstag. »Piter« ist ein Kosename der Stadtbewohner, die abgekürzte Version von Sankt Petersburg, eine Liebeserklärung an die Stadt. P-I-T-E-R.

»Ja, ihr habt so vieles noch nicht gesehen!«

»Ihr müsst im Winter wiederkommen!«

»Ihr müsst Silvester hier feiern!«

»Ihr müsst eislaufen auf der Newa vor dem Winterpalast!«

»Ihr müsst im Winter wie die Seelöwen ins Eiswasser an der Peter-Pauls-Festung tauchen!«

»Ihr müsst Peterhof im Schnee sehen!«

»Ihr müsst ins Mariinski-Theater, wenn es nicht auf Tournee in Moskau ist!«

Wenn wir uns weiterhin anhören, was wir noch alles müssen, verpassen wir definitiv das Flugzeug.

»Wir müssen noch sitzen vor der Reise!«, sage ich.

Und so sitzen wir da, auf dem Sofa unter dem roten Wandteppich, Jost mit seinem Abschiedsgeschenk in der Hand, einem geflochtenen Korb. Im Korb liegen Datschagurken für Peter. Meine kleine Nichte sitzt auf meinem Schoß, die Arme um meinen Hals gelegt. Mein Onkel wischt sich eine Träne aus dem rechten Auge, so, dass es keiner sieht. Keiner außer mir, und jetzt muss ich weinen. Es ist ein bedeutender Moment, denn plötzlich ist Stille eingekehrt. Ein seltener Moment.

»Wir kommen bald wieder«, versichert Jost leise, aber bald ist verdammt lang hin.

Auf dem Flughafen wird umarmt und gedrückt und geherzt und geküsst. Und dann noch einmal umarmt und gedrückt und geherzt und geküsst.

Ich sitze im Flugzeug, schaue aus dem Fenster, sehe Sankt Petersburg immer kleiner werden. Tschüss, geliebtes Piter. Die Flugbegleiter bereiten sich darauf vor, pappige kleine Sandwichs zu verteilen. Es macht nichts, wir haben richtiges russisches Essen dabei.

»Am besten gefallen haben mir die Piterzy«, die Petersburger also, sagt Jost plötzlich neben mir, und dafür könnte ich ihn umarmen, stünde der Gurkenkorb nicht zwischen uns.

***

»All unseren Treffen sind Abschiede, leider,
vorherbestimmt.
Leise und traurig fließt der Bach am
bernsteinfarbnen Kiefer.
Mit zaghafter Asche hat sich die Kohle des
Feuers bedeckt.
Nun ist alles vorbei. Zeit, Abschied zu nehmen
ist nun ...«

(aus einem Lied von Juri Wisbor)

Die wichtigsten Do's und Don'ts für Petersburg

Unbedingt merken:

1. Mein persönliches Muss: »Kartoschkas« in der »Sewer«-Konditorei gegenüber vom Großen Kaufhof am Newskiprospekt essen. Dies wird nicht nur ein wunderbarer Ausflug in die Sowjetunion, sondern beschert auch eine körperliche Abhängigkeit von der besten Süßigkeit der Welt.

2. Der schönste Ausflug: in die Vororte Peterhof, Puschkin, Pawlowsk. Besonders beeindruckend und prachtvoll: die ehemalige Zarensommerresidenz Peterhof mit ihren 173 Fontänen, am schönsten erreichbar mit dem Schiff »Meteor«.

3. Wichtige Regel: Die Polizei ist nicht dein Freund und Helfer. Die Polizei ist hauptsächlich dazu verpflichtet, die eigenen Taschen mit Bestechungsgeldern aufzufüllen. Recht, Unrecht sowie dein Wohlsein interessieren nicht.

4. Jedes russische Wort aus dem Mund eines Ausländers sorgt für Freudenfeuerwerke und

ewig währende Liebe seitens der Russen. Also merken: »Spasibo« heißt »danke«. »Priwet« heißt »hallo«. »Ja tebja ljublju« heißt »Ich liebe dich« und ist auch bei neuen Bekannten durchaus willkommen.

5. Egal, wie sicher man sich ist, alles, was auf dem Tisch steht, probiert zu haben und nie wieder essen zu können: Es kommt immer noch ein weiterer Gang. Und ein »Nein, danke« verstehen die Russen als eine Aufforderung, noch mehr Essen auf den Teller des Gastes zu laden.

Auf keinen Fall:

1. Hotdogs und Ähnliches vom Straßenstand essen: Für nichtrussische Mägen kann das Essen fatal sein. Und ob die Wurst tatsächlich aus Fleisch zubereitet wurde, möchte man nicht wissen.

2. Es sich in der Metro mit einem Buch gemütlich machen, sollte man einen der begehrten Sitzplätze ergattert haben. Jedem älteren Menschen sowie jeder Dame ist der Platz freizumachen – Zuwiderhandlungen werden mit Beschimpfungen der umstehenden Passagiere bestraft. Bis man vor Scham über das eigene egoistische Fehlverhalten gar nicht mehr Metro fahren möchte.

3. Leitungswasser ungekocht trinken. Ein russisches Krankenhaus ist nichts, was man von innen sehen möchte.

4. Zebrastreifen als Zebrastreifen begreifen. Zebrastreifen sind für russische Autofahrer lustig und unsinnig bemalte Straßenabschnitte, die höchstens dazu anregen, das Tempo zu beschleunigen. Ebenfalls wichtig: Der Autofahrer, mit dem Sie gerade unterwegs sind, wird der Einzige in der Stadt sein, der »normal« fährt. Alle anderen fahren »wie die Verrückten«. Dies gilt für jeden Autofahrer dieser Stadt. Sich im Auto anzuschnallen ist die größte Beleidigung, die Sie einem Fahrer antun können.

5. Traurig sein, wenn man an der Kasse plötzlich feststellt, dass das Portemonnaie nicht mehr da ist. Oder der Fotoapparat »ausgeliehen« wurde, wenn man gerade ein schönes Bild von der Admiralität knipsen möchte. Das passiert den besten Petersburgern, die übrigens über solche Vorkommnisse immer wieder tief betrübt sind.

Weitere Bücher aus dem
SchirmerGraf Verlag

Lena Gorelik
Meine weißen Nächte

Roman. 273 Seiten. Leinen mit Schutzumschlag und Lesebändchen

Was tun, wenn man eine sehr emotionale, sehr russische Mutter hat, die mindestens einmal täglich anruft, um sich zu erkundigen, ob man auch genug gegessen hat? Wenn man eine wunderbare, aber schrecklich vergessliche Großmutter hat, die nur in ihrer Sankt Petersburger Vergangenheit lebt? Und einen reizenden Bruder, der gerade beschlossen hat, sich dem Buddhismus zuzuwenden?

Eigentlich wäre Anja schon damit ausgelastet, ihre Beziehung zu Jan auf die Reihe zu kriegen und sich vielleicht einen Job zu suchen. Aber Anjas Familie ist omnipräsent, auch wenn sie ein paar hundert Kilometer entfernt wohnt. Als eines Tages ihr Exfreund auftaucht und ihr einen Job in einem russischen Reisebüro vermittelt, sind plötzlich auch die Erinnerungen an ihre russische Kindheit wieder da …

In ihrem erfrischenden Debütroman macht Lena Gorelik auf hinreißend komische, leise melancholische Weise deutlich, dass sich das Leben mit einer doppelten Identität ganz offensichtlich nicht darin erschöpft, seinen deutschen Freunden zu erklären, dass Puschkin nicht nur ein Wodka, sondern auch ein Dichter war.

»Unbedingt lesen!« *Jüdische Allgemeine*

»Ein absolut hinreißendes Buch.« *bücher*

Lena Gorelik
Hochzeit in Jerusalem

Roman. 255 Seiten. Leinen mit Schutzumschlag und Lesebändchen

Anja, die russische Jüdin, die seit ihrer Kindheit in Deutschland lebt, fährt mit ihrem Freund Julian nach Israel. Eigentlich wollte Anja die Reise dazu nutzen, über ihre eigene dreigeteilte Identität nachzudenken und Julian zu helfen, seinen jüdischen Wurzeln auf die Spur zu kommen. Der spontane Entschluss ihrer liebenswert-nervigen Familie, die Hochzeit einer entfernten Cousine in Jerusalem zum Anlass zu nehmen, sie zu begleiten, wirft jedoch noch ganz andere Themen auf. Zum Beispiel, wessen Hochzeit als Nächstes gefeiert wird.

Nominiert für den Deutschen Buchpreis 2007

»Lena Gorelik knüpft mit *Hochzeit in Jerusalem* an ihr gelungenes Debüt an, nicht nur, was den Inhalt betrifft, sondern auch die erzählerische Qualität ... Ein gewagtes, gewitztes und blitzgescheites Buch.« *Christine Diller, Münchner Merkur*

»Lena Gorelik gelingt mit ihrem leichtfüßigen Humor eine Geschichte, die jedes Klischee, das ihr begegnet, ironisch zu wenden versteht.« *Silja Ukena, Kulturspiegel*

Sybille Bedford
Zu Besuch bei Don Otavio

Eine mexikanische Reise. Mit einem Vorwort von Bruce Chatwin. Aus dem Englischen von Christian Spiel. 429 Seiten. Leinen mit Schutzumschlag und Lesebändchen

»1953 debütierte Sybille Bedford mit ihrem aufsehenerregenden literarischen Reisebuch über Mexiko. ›Ich hatte ein großes Bedürfnis nach einer Ortsveränderung‹, erklärt sie, die ewig Reisende, auf den ersten Seiten. Das Ergebnis ist diese brillante und komische Geschichte zweier Frauen in einem widerspenstigen Land.« Brenda Wineapple, *The New Criterion*

Zusammen mit einer Freundin und nicht viel mehr Gepäck als einem Lunchkorb, gefüllt mit Brathuhn und Kirschtomaten, macht Sybille Bedford sich von der New Yorker Grand Central Station auf in Richtung Süden. Ohne geplante Reiseroute, aber auch ohne Vorurteile – dafür mit hellwachen Sinnen. Was sie sehen, hören und schmecken, wen sie treffen und was sie Aufregendes erleben in diesem schönen, rauen Land, erzählt Sybille Bedford mit der für sie typischen Frische und mit feinem Humor. Und schließlich, als die beiden vor Insekten wimmelnde Hotelzimmer und abenteuerliche Busfahrten mit Truthähnen und Schweinen überstanden haben und auf der idyllisch gelegenen Hazienda vom Freund eines Freundes landen – dem charmanten und gastfreundlichen Don Otavio –, finden sie ihr Paradies auf Erden.

»Ein Buch zum Immer-wieder-Lesen.« *Bruce Chatwin*

»Ein beglückendes Buch.« *Susanne Mayer, Die Zeit*

Sybille Bedford
Am liebsten nach Süden

Unterwegs in Europa. Aus dem Englischen von Matthias Fienbork. 224 Seiten. Leinen mit Schutzumschlag und Lesebändchen

Was will das reisende Ich? »Es will sicher und pünktlich ankommen. Es will Vergnügen, Abwechslung, Ruhe, starken Kaffee, starke Drinks und mit einem großen Geldschein bezahlen können. Es will ein bezugsfertiges Zimmer vorfinden, nicht überheizt und nicht zu kalt, mit Kleiderbügeln, der richtigen Stromspannung, einem Aschenbecher und reichlich frischen Handtüchern. Es will mal um halb sieben, mal um halb elf zu Abend essen. Es will alles wie erwartet vorfinden, nur besser.«

Auf dem Höhepunkt ihres literarischen Erfolgs reiste Sybille Bedford im Auftrag von Zeitschriften wie *Vogue* und *Esquire* quer durch Europa: Sie verkostete Bordeaux-Weine, hausgemachte Pasta in Rom oder Turin, probierte ländliche Hotels in der Normandie aus und Venedig im Winter. Sie testete fachmännisch die Straßen in Jugoslawien und fuhr mit einem Blick, als käme sie von einem anderen Stern, durch Dänemark. Ihre Entdeckungen und Erkenntnisse sind von zeitlosem Charme – und von erstaunlicher Aktualität.

»Sybille Bedford scheint unterwegs geboren zu sein.«
Bruce Chatwin

Abe Opincar

Am Abend, als ich meine Frau verließ, briet ich ein Huhn

Ein kulinarischer Roman. Aus dem Amerikanischen von Rudolf Hermstein. 219 Seiten. Leinen mit Schutzumschlag und Lesebändchen

Ein literarisches Fundstück für jeden, der gerne liest, gerne kocht, gerne isst.

»Als meine Mutter mit mir schwanger war … saß sie den ganzen Sommer in der abgedunkelten Küche und aß Eier, deren Dotter wie kleine Sonnen auf ihrem Teller leuchteten. Während sie mich unter dem Herzen trug, sagt sie, roch die Küche immer nach brauner Butter … Es gibt kaum etwas, was mir besser schmeckt als kurz gebratene Spiegeleier oder weichgekochte Eier mit heißem, glattem, zerfließendem Dotter.«

Bei Abe Opincar lösen nicht Fotoalben, sondern Speisen Erinnerungen aus – jede Speise, jeder Duft, jede Essgewohnheit ist für ihn Anlass, kuriose, manchmal melancholische Lebensgeschichten zu erzählen. Er lässt dabei einen ganzen Kosmos an Gerüchen, Geschmäckern, Gefühlen erstehen. So entsteht aus den Stationen seiner persönlichen Biografie eine oft witzige, manchmal melancholische, immer kenntnisreiche Kulturgeschichte des Essens.

»Ein schönes Gastgeschenk zur nächsten Essenseinladung bei Freunden.« *Brigitte*